DWAALSPOOR

Karin Peters

Dwaalspoor

VCL-serie

ISBN 90 5977 135 4
NUR 344

© 2006, VCL-serie, Kampen
Omslagillustratie: Jack Staller
Omslagbelettering: Van Soelen, Zwaag
www.vclserie.nl
ISSN 0923-134X

1

Wat zijn we toch keurige mensen, dacht Simon de Kuyper toen hij met zijn vrouw Paula de kerk uitkwam, vriendelijk links en rechts groetend naar bekenden. En niemand wist wat er werkelijk in de ander omging. Wist hij bijvoorbeeld waar Paula nu aan dacht? Als ze maar niet op het idee kwam iemand voor de koffie te vragen. Hij had totaal geen zin om zich sociaal te gedragen. Daar was hij de hele week al mee bezig. Simon wist dat hij deze negatieve gedachten een halt moest toeroepen. Als hij niet oppaste, werd hij een nurkse ouwe vent. En hij was pas eenenvijftig.

„Nu wordt het tijd om de bloemetjes nog eens buiten te zetten," had een aangeschoten hotelgast hem kort geleden toegevoegd. De man werd na korte tijd gedwongen te vertrekken. Personen die te veel dronken, kon hij in zijn goed bekendstaand hotel-restaurant niet hebben. En toch had die opmerking hem aan het denken gezet. Niet dat hij zich losbandig zou willen gedragen, hij zou niet eens weten hoe dat moest. Maar hij was in zijn eigen ogen zo'n saai persoon dat hij soms een hekel had aan zichzelf. Hij merkte pas dat Paula staande werd gehouden door enkele vrouwen toen hij al enkele meters verder was. Hij liep door en bleef bij de auto op haar wachten. Wat was er nu verder nog van deze zondag te verwachten? Mogelijk kwam Casper nog langs, maar dat kwam de laatste tijd steeds minder vaak voor. Casper had waarschijnlijk ook wel iets beters te doen. Terwijl Simon bij de auto wachtte, allerlei mensen groetend, bedacht hij dat de meeste mensen van zijn leeftijd waren. Dus ook over de helft van hun leven. De meesten zagen er tamelijk tevreden uit, vond hij. Hijzelf mogelijk ook. Wie zou er vermoeden dat er onder zijn keurige uiterlijk een mens woonde die de weg min of meer kwijt was? Die regelmatig dacht: is dit nu alles? Ga ik zo op weg naar de ouderdom en de aftakeling, zonder dat er nog ooit iets bijzonders in mijn leven gebeurt?

„Zo, daar ben ik." Met een opgewekt gezicht kwam Paula naar hem toe.

„Heb je weer diverse belangrijke regelingen getroffen?" Hij hoorde zelf dat het cynisch klonk en schaamde zich. Paula was een tevreden mens en ze slikte zijn negatieve houding meestal met een opgewekt humeur. Hij was nu eenmaal wat tobberig van aard. Meestal wist ze hem met haar gelijkmatige humeur weer uit de put te halen. Maar de laatste tijd leek haar dat niet meer zo goed te lukken.

„Alles gaat nu eenmaal niet vanzelf," antwoordde zijn vrouw luchtig. Ze stapte naast hem in de auto. „Ze vroegen mij voor de bazaar van de kerk."

„Ik denk niet dat je hebt geweigerd," zei Simon, de auto de weg op sturend en nog steeds af en toe mensen groetend.

„Waarom zou ik? Maar ik heb het nog even in beraad gehouden."

Simon zei niets. Hij wist wel zeker dat Paula uiteindelijk ja zou zeggen. Al jaren zette ze zich in voor allerlei acties en goede doelen. Hij kon daar moeilijk bezwaar tegen maken. Paula had indertijd haar werk als lerares op een basisschool opgegeven, toen ze zwanger was van Casper. Ze had toen geruime tijd moeten rusten. Ook na de bevalling had het lang geduurd voor ze weer de oude was. Ze was echter altijd van plan geweest haar werk weer op te pakken. Toen echter volgde die andere zwangerschap, en de geboorte van een dochter die slechts enkele uren had geleefd. Paula had het lange tijd niet kunnen opbrengen om weer kinderen om zich heen te hebben. O, ze had zich erdoorheen gevochten. Met hulp van God en van vriendinnen, zei ze altijd. En hijzelf? Hij had nooit meer gepraat over zijn dwaze droom. Een dochter met zijn donkere haren en Paula's grijze ogen. Hij had de droom begraven, samen met het kleine witte kistje waarin zijn dochter lag. Veel mensen schenen te denken dat zoiets voor vaders minder erg was. Vroeg men niet altijd: hoe is het met je vrouw? En nu, na zoveel jaar, werd er nooit meer over gepraat. Hij hield even in voor een stoplicht en draaide dan de weg in naar een van de buitenwijken van Apeldoorn.

Ze woonden in een moderne bungalow met een flinke tuin. Die tuin, daar bracht Paula ook veel van haar tijd door. Soms bewonderde hij zijn vrouw dat ze zich zo met haar hele wezen voor iets kon inzetten. Hijzelf zou dat niet kunnen opbrengen. Maar hij had natuurlijk zijn werk in het hotel. Werk dat hem nog steeds boeide. Hij had alle reden om een tevreden mens te zijn. Een prettige baan met een goed salaris. Een riante woning, een aantrekkelijke vrouw. Een zoon die steeds meer naam maakte als fotograaf. Waar kwam dat gevoel van onvrede toch vandaan?

Toen ze aan de koffie zaten vroeg Paula: „Wat vond je van de dienst?"

Hij keek haar aan. „Wil je wel geloven dat ik er weinig meer van weet?"

„O, dat wil ik wel geloven. Je zat er ook niet bepaald geïnteresseerd bij. Ik weet niet wat jou de laatste tijd mankeert, Simon. Is het de beruchte midlifecrisis?"

„We kunnen niet allemaal zo actief zijn als jij. Het zit bij jou in de familie. Je zus is immers net zo. Een gewoon mens wordt doodmoe van al die activiteit."

„Joline houdt zich met heel andere zaken bezig," zei Paula een beetje stijf. Simon wist dat Paula oprecht probeerde zich te interesseren voor het werk van haar zuster. Maar het kostte haar wel moeite. Joline werkte in een opvangtehuis voor daklozen en verslaafden. Hoe betrokken Paula soms ook was, ze kon ook hard zijn. „Die mensen willen niet anders. Stop je energie in iets anders," had ze Joline een keer toegevoegd. De verhouding tussen Paula en haar zus was niet echt goed te noemen. Hoewel Paula het nooit zover zou laten komen dat er echt ruzie ontstond.

Simon dronk zijn koffie en at Paula's zelfgebakken notencake. Hoe kon ze daar nog tijd voor vinden, vroeg hij zich af. Misschien voelde zij zich ook wel niet tevreden met haar leven. Mogelijk vluchtte ze in allerhande werkzaamheden. „Paula…" Hij zweeg. Ze keek hem aan, haar grijze ogen alert achter de brillenglazen. „Ga je mij nu zeggen dat er een ander is?" vroeg ze tot zijn verbazing.

„Hoe kom je daar nou bij?"

„Omdat ik het gevoel heb dat je voortdurend ergens anders bent met je gedachten."

„Ik kan me niet voorstellen dat deze vraag serieus is bedoeld," mompelde hij. En dan: „Denk jij nog weleens aan onze dochter? Ze zou nu zesentwintig jaar zijn geweest."

„Ik weet van dag tot dag hoe oud Emma zou zijn geweest," antwoordde Paula kalm. „Waarom begin je daar ineens over?"

„Ik weet het niet. Alles lijkt soms zo zinloos."

Paula beet op haar lip. Ze had Simons sombere stemmingen al vaker meegemaakt, maar nu was het wel heel erg. „Misschien moet je eens met de dominee praten," aarzelde ze.

„Kom nou. Of hij de oplossing weet voor de zinloosheid van het bestaan."

„Misschien de dokter dan." Paula was echt bezorgd en dat deed hem toch goed.

„Het gaat wel weer over," zei hij, pakte zijn krant en deed of hij las. Maar Paula was absoluut niet gerustgesteld. En ze wist niet wat ze aan de situatie kon veranderen.

De dag dat Simon plotseling hevig verliefd werd, begon in eerste instantie niet bepaald positief. Tijdens het ontbijt kreeg hij woorden met Paula, iets wat zelden voorkwam. Om een kleinigheid, dacht hij, toen hij op de knop drukte en de elektrische garagedeuren omhoog zoefden. Maar wel weer dezelfde onbenulligheid waar ze vaker woorden om hadden. Paula zat in allerlei clubjes die ieder moment iets te vieren hadden. Ze moesten die avond op een borrel bij vrienden. Nou ja, vrienden... Paula verkoos hen zo te noemen. Het zou nog te doen zijn als dergelijke ontmoetingen, waarbij het meestal erg laat werd, zo eens in de maand voorkwamen. Er was echter iedere week wel iets. Iets waarvoor ze zich netjes moesten kleden en waarbij hij het gevoel had dat hij niet zichzelf kon zijn. Het kon ook een concert zijn of een theaterbezoek. Terwijl hij in de auto stapte dacht hij voor de zoveelste keer dat het aan hemzelf moest liggen.

Paula had natuurlijk gelijk als ze zei dat hij veel te jong was om altijd thuis te zitten. Met drieënvijftig jaar was hij in deze tijd zeker nog niet oud te noemen. Als Paula wist van zijn droom om vroegtijdig met werken te stoppen en een huis in Frankrijk te kopen, zou ze versteld staan.

Dicht bij de natuur leven, je eigen druiven verbouwen en zelf wijn maken. Heerlijk rond kunnen banjeren op je eigen terrein, gekleed in een jeans en een gemakkelijk shirt, een hoed op het hoofd tegen de zon. Financieel zou het geen enkel probleem zijn. Zowel hij als Paula kwamen uit een rijke familie. Hun ouders waren overleden en beiden waren ze enig kind. De zus van Paula was er natuurlijk ook. Hij, Simon, beheerde haar geld, maar Joline had er tot nu toe geen cent van willen hebben. Onbegrijpelijk in Paula's ogen. Hij zou Joline weer eens een bezoekje brengen. Hij voelde zich toch wel enigszins verantwoordelijk voor haar. Toen hij de auto uit de garage reed begon het te regenen. Hij zette de ruitenwissers aan en keek nog even opzij naar zijn imposante woning. Er was niets te zien. Had hij verwacht dat Paula voor het raam stond te zwaaien? Even trok er een gevoel van eenzaamheid door hem heen, maar hij haalde zijn schouders op. Ze waren geen verliefde pubers meer.

Nooit geweest ook trouwens. Hoewel Paula het graag deed voorkomen of ze een ideaal huwelijk hadden. En daarmee had ze velen misleid, hun zoon Casper inbegrepen. Hoewel Casper misschien meer wist dan hij wilde toegeven. Maar waarschijnlijk was Paula ook echt die mening toegedaan en zocht hij zelf naar het onmogelijke.

Simon hield in voor een auto van rechts, trok ook snel weer op. Hij was vrij laat. Overigens zou niemand het in zijn hoofd halen daar iets van te zeggen. Als manager van een goed lopend hotel kon hij komen en gaan wanneer hij wilde. Hij kon ook helemaal wegblijven, dacht hij cynisch. Wie zou hem missen? Dergelijke negatieve gedachten had hij de laatste tijd vaker. Misschien was het inderdaad de midlifecrisis. Sommige mannen zagen de oplossing in een jongere vriendin. Daar zou hij vast niet veel moeite voor hoeven doen, dacht hij een tikje ijdel. Hij zag er goed uit, had geld genoeg en dat was voor veel vrouwen erg belangrijk. Maar hij was getrouwd en hij had nooit echt aan ontrouw gedacht, het ook niet gezocht. Het leven was al gecompliceerd genoeg.

Hij reed de auto de parkeergarage van het hotel in en nam de lift naar de tweede verdieping, waar hij zijn kantoor had. Andrea was er natuurlijk al, zij zou nooit een minuut te laat komen. Ze wordt ook goed betaald, dacht hij cynisch.

Even later nam hij de post met haar door, keek op de computer naar de aanvragen voor hotelkamers. Ze waren niet helemaal volgeboekt, maar het was pas januari. In deze tijd waren er altijd wel kamers vrij. Die ochtend was er veel werk, met als gevolg dat hij totaal niet meer aan het uitje, later op de middag dacht. Tot Paula belde.

„Je bent het natuurlijk vergeten," zei ze bits.

Ja, dat was hij inderdaad.

„Er is nu geen tijd meer om naar huis te komen en je te verkleden. Ik hoop dat je daar iets fatsoenlijks hebt hangen." Simon reageerde vaag met de belofte dat hij wat later zou zijn, maar wel zou komen. Waar moet ik anders heen, dacht hij. Alleen achterblijven in hun grote huis beviel hem ook niet, dat wist hij uit ervaring. Waarom konden ze niet gewoon een avond thuisblijven? Hij moest het er met Paula over hebben… Als ze deze avonden absoluut niet kon missen, dan moest ze af en toe maar alleen gaan. Dan bleef hij wel in het hotel.

Hij verkleedde zich echter wel. Hij zou graag iets luchtigers aantrekken dan een driedelig pak, maar hij wist wat Paula van hem verwachtte.

Toen hij klaar was voelde hij zich doodmoe en absoluut niet fit. Het ergerde hem. Hij was toch nog een vrij jonge vent. De laatste week leek hij wel opgebrand te zijn. Terwijl Paula alles leek aan te kunnen, en ze was maar een jaar jonger. Maar zij hoefde geen verantwoordelijkheid te dragen, dacht hij. Alles werd voor haar geregeld. Ze had een enorme vrijheid, ook financieel. Terwijl hij naar de auto liep voelde hij een vage misselijkheid opkomen. Hij werd toch zeker niet ziek? Dat kon hij helemaal niet gebruiken.

Daar wordt niet naar gevraagd, zei zijn moeder vroeger altijd. Je moest het doen met hetgeen je toebedeeld kreeg. Ach ja, zijn moeder mopperde nooit als iets niet naar wens ging. „Het komt alles van Boven," zei ze dan berustend. Hijzelf dacht daar wel enigszins anders over. Hij leunde tegen de auto aan en haalde diep adem. Het stond hem ineens verschrikkelijk tegen om in de auto te stappen. Hij zou kunnen gaan lopen, mogelijk knapte hij ervan op. Het was niet zover vanhier. Buiten de garage ontdekte hij dat het flink regende. Hij kon het natuurlijk niet maken om op de party helemaal doorweekt aan te komen. Hij ging echter niet terug om de auto te halen, maar liep verder. Hij voelde zich zo belachelijk moe. Hij kwam langs een flatgebouw en bleef aarzelend staan. Als hij op de portiektrap ging zitten, kon hij het hotel bellen. Dan kwam iemand hem wel halen. Niemand verwachtte dat hij ziek op een feestje zou komen.

Hij had ongelofelijk stom gedaan door te gaan lopen. Zo zag je maar weer, hij kon niet zonder auto. Op dit moment functioneerde hij trouwens helemaal niet. Wat was er eigenlijk met hem aan de hand? Hij schoot plotseling rechtop. Een hartaanval? Ging hij dood?

Hij had geen pijn op de borst, het zat meer in de buurt van zijn maag. Stel dat hij doodging. Daar was hij totaal niet op voorbereid. Hij wilde niet dat ze hem hier zouden vinden. Hij, de manager van een Apeldoorns hotel, hier in het trappenhuis van een armzalige flat!

Hij wilde opstaan, maar het leek of zijn benen onder hem wegzakten. Op datzelfde moment hoorde hij snelle voetstappen naderen. Stel dat dit nu een van die jongeren was, altijd om geld verlegen…

Het was echter een jonge vrouw die haar paraplu dichtklapte, wat post uit een brievenbus haalde en hem toen pas zag.

Ze mag niet doorlopen, dacht Simon bijna in paniek. Hij wilde niet alleen blijven. De jonge vrouw kwam echter al naar hem toe.

„Wacht u op iemand?" vroeg ze vriendelijk. Ze had een lieve, jonge stem, zelfs in zijn miserabele toestand viel dat Simon op.

„Nee, ik..." Zijn stem leek het te begeven en hij begon plotseling te klappertanden.

„Bent u ziek? Kan ik iemand waarschuwen?"

Simon dacht aan Paula die ongetwijfeld al naar de party was vertrokken, en zo niet, dan zat ze ook zeker niet te wachten op een zieke echtgenoot die haar plannen in de war stuurde.

„Nee, ik eh... ik kan in feite niet naar huis."

Het meisje fronste de wenkbrauwen. „Nou, u lijkt me toch niet een van die zwervers die onderdak zoeken in een trappenhuis, of een station. U kunt wel even met mij meegaan. Ik zal koffiezetten, dan knapt u misschien wat op."

Even later namen ze samen de lift, Simon probeerde niet eens de trap te beklimmen.

Vaag dacht hij dat dit toch wel erg vreemd was. Met een onbekende jonge vrouw meegaan, terwijl zijn vrouw op hem wachtte. Hoewel Paula vast niet verlangend naar hem uitkeek. Hij grinnikte en het meisje keek hem verontrust aan. Hij moest proberen normaal te doen, straks werd dat kind nog bang voor hem. En als ze hem op straat zette, kon hij nergens heen. Wat was het voor onzin om zo te denken? Hij had toch een huis, hij had zelfs een compleet hotel.

De lift stopte en hij volgde het meisje op de voet. Ze opende de deur en even later stond hij in de ruime, comfortabele kamer van de flat.

„Gaat u zitten. Ik zal koffiezetten." Ze wees hem een stoel en draaide de thermostaat wat hoger. Opgelucht liet Simon zich in de stoel zakken, liet toe dat ze hem uit zijn jas hielp. Even later ging ze tegenover hem zitten en keek hem aandachtig aan. „Wie bent u en wat is er aan de hand?" vroeg ze rechtstreeks.

Zo is de jeugd, dacht Simon. Geen omhaal van woorden, rechtstreeks naar het doel.

„Ik ben Simon de Kuyper. Ik was op weg naar een bijeenkomst waar mijn vrouw op mij wacht. Maar ik voelde me ineens hondsberoerd. Misschien heb ik een griepje onder de leden." Hij merkte dat hij nog steeds beefde.

„Dat zou kunnen. Maar het lijkt me toch goed dat ik een dokter waarschuw. Het kan ook iets anders zijn. U bent niet zo jong meer. Stel dat het uw hart is?"

„Optimistisch van je," spotte hij, en vroeg toen: „Hoe heet je?"

„Ik ben Feline van Maanen. Ik ben lerares op een z.m.l.k.-school," gaf ze gelijk wat meer informatie.

„Lerares? Je bent zelf nog een kind."

„Je vergist je. Ik ben zesentwintig." Ze stond op en kwam een moment later terug met twee dampende koppen koffie. „Mogelijk knap je hiervan op," zei ze.

De geur van de koffie deed echter de misselijkheid weer opkomen. Maar hij kon niet weigeren, ze deed zo haar best. Ze was trouwens heel aantrekkelijk met die grote bruine ogen en het korte donkere haar. Ze was…

De koffie viel inderdaad verkeerd, hij stond al half op, maar haalde het toilet niet. En zo werd hij, Simon de Kuyper, gekleed in driedelig kostuum, ondersteund door een jonge vrouw, terwijl hij de koffie teruggaf in een teiltje. Ze ruimde rustig alles op, maakte zijn gezicht schoon met een natte handdoek, legde zijn voeten op de bank en een kussen onder zijn hoofd. Simon schaamde zich zo erg, dat hij doodstil met gesloten ogen bleef liggen. Hij hoorde haar heen en weer lopen en even later legde ze een dekbed over hem heen.

„Blijf rustig liggen," zei ze vriendelijk. Alsof hij iets anders zou kunnen.

Stel je voor dat hij dit had gekregen op de party waar hij naartoe op weg was. Men zou zeker hebben gedacht dat hij te veel had gedronken. Paula zou niet zo bezorgd zijn geweest als dit meisje, daar was hij zeker van. Hij had nog steeds pijn onder zijn middenrif. Hij had weleens gehoord dat een hartaanval soms niet zo duidelijk te constateren was. Hij voelde een beweging naast zich en opende voorzichtig zijn ogen.

„Opgelucht?" vroeg ze.

„Verre van dat. Ik schaam me dood."

„Dat begrijp ik. Een heer als jij, die er zo aan toe is bij een onbekende vrouw thuis, dat is natuurlijk heel vervelend."

„Je hoeft het niet zo te benadrukken," mompelde hij.

Ze glimlachte. „Ik snap dat je het gênant vindt, maar dat hoeft niet. Ik heb trouwens de dokter gewaarschuwd."

„Dat vind ik tamelijk eigengereid," mopperde Simon.

„Wat wil je dan? Je komt hier ziek binnenwandelen. Moet ik je de straat op sturen? Stel dat het iets ernstigs is?"

„Er zijn er genoeg die me niet zouden hebben binnengelaten."

„Zo ben ik niet. En zit maar nergens over in. Ik heb

twee jaar mijn ernstig zieke moeder verzorgd. Ik ben wel een en ander gewend."

Hij nam haar in stilte op. Zo jong en fragiel, maar ze straalde een rust uit die weldadig aandeed. Hij vergeleek haar met de meisjes in het hotel, pratend over kleren en uitgaan. Nee, dat was niet helemaal eerlijk, hij had zich nooit in één van hen verdiept.

Toen er gebeld werd, stond ze op. „Dat zal de dokter zijn."

Simon zei niets. Protesteren zou niet helpen. Hij voelde zich trouwens niet helemaal gerust en zeker niet fit. Hij hoorde hen praten, het klonk of ze elkaar goed kenden. De arts bleek nog jong te zijn, maar weinig ouder dan zijn eigen zoon Casper.

„Zo, ik hoorde van Feline dat ze u zo'n beetje op straat heeft gevonden."

„Ik was hier in het trappenhuis," verbeterde Simon. Straks dacht die kerel nog dat hij laveloos in de goot had gelegen.

„Kunt u uw jasje en overhemd uittrekken?"

Simon keek naar de jongeman in de sportieve sweater, maar diens gezicht verried niets. Het is belachelijk dat ik hier in driedelig pak, compleet met stropdas, ziek lig te wezen, dacht hij opstandig. Dat maakte dat hij zijn jasje en vest met een nijdig gebaar van zich af smeet. De stropdas volgde dezelfde weg.

„Dat voelt vast een stuk gemakkelijker," zei de dokter gemoedelijk. Even later werd Simon grondig onderzocht. Hij zag uit een ooghoek dat het meisje rustig op de bank zat. Waarom had ze niet het fatsoen om even weg te gaan? Toen vond hij zichzelf belachelijk. Lieve help, wie weet hoeveel mannen ze had

17

gezien met ontbloot bovenlijf. En daar was het vast niet bij gebleven, zo'n mooi meisje als zij was.

Hij concentreerde zich op de dokter en zijn vragen. Na een moment zei deze: „Alles wijst erop dat u een galaanval hebt gehad. Ik zal u een injectie toedienen."

„En dan?"

„Dan niets. Het komt misschien nooit meer terug. En zo ja, dan kunt u een uitgebreid onderzoek laten doen. Er kunnen enkele steentjes zitten."

„Kan ik gewoon aan het werk?"

„Ik zou enkele dagen rust houden. En u moet enkele dagen opletten met wat u eet. Hebt u thuis verzorging? Hoe wilt u terug naar huis? U kunt vast wel iemand bellen die u komt halen," zei de arts met een blik op Simons gouden Rolex.

Simon knikte vaag. Hij wilde hier helemaal niet weg. Maar dat hoefde die dokter niet te weten. Hij was trouwens wel erg familiair met het meisje.

„Is die vent een vriend van je?" vroeg hij toen ze de arts had uitgelaten.

Ze trok haar wenkbrauwen op en Simon voelde een kleur naar zijn gezicht stijgen. „Sorry, ik ben geloof ik een beetje van slag. Vergeet het," mompelde hij.

„Mark heeft mijn moeder begeleid en in die tijd heb ik hem heel goed leren kennen. Het lijkt me dat jij nu iemand moet bellen."

Simon aarzelde en ze zag zijn tegenzin. „U lijkt me geen type dat alleen op de wereld staat," zei ze, zijn kleren netjes ophangend. Ze kon het dure merk van zijn kostuum moeilijk over het hoofd zien. Deze dure kleding leek hier totaal niet te passen.

„Ik ben getrouwd, maar ik weet dat mijn vrouw niet

thuis is. Mijn zoon is fotograaf. Hij is altijd onderweg. Zijn mobiele nummer staat in mijn agenda die op kantoor ligt. Hij is ook regelmatig in het buitenland, maar heeft wel een appartement in deze stad."

„U moet uw vrouw toch inlichten," hield ze aan.

„Ze zal me niet missen. Kan ik vannacht hier blijven?"

Verbluft staarde ze hem aan.

Hij maakte een afwerend gebaar. „Begrijp me niet verkeerd. Ik voel me nog niet fit. Het is hier zo rustig en ik heb het gevoel dat er niets van me wordt gevraagd. Terwijl thuis…"

„U kunt op de bank slapen," viel ze hem in de rede. „Maar uw vrouw is vast heel erg ongerust."

„Denk je?" vroeg hij cynisch. „Mijn vrouw houdt zich meer met zichzelf bezig dan met mij."

Ze antwoordde niet en hij sloot de ogen. Wat mankeerde hem? Zoiets had hij nog nooit tegen iemand gezegd. Hij had het zich ook nooit zo gerealiseerd. Het was ook niet helemaal eerlijk tegenover Paula. Dat ze uit elkaar waren gegroeid lag ook aan hem. Als hij jaren geleden een vrouw had ontmoet zoals dit meisje, was zijn leven vast heel anders verlopen. Hij keek door zijn oogharen. Ze zat nog steeds op de bank en scheen diep in gedachten.

„Ik moet even weg, kun je een halfuurtje alleen blijven?" vroeg ze dan.

„Moet je echt weg?" vroeg hij als een kind.

„Ik moet mijn dochter uit de crèche halen."

Hij kwam half overeind. „Lieve help, straks komt je man ook thuis, neem ik aan. Dan kan ik hier niet blijven."

„Ben je hier met bepaalde bedoelingen?" vroeg ze nuchter.

„Nee. Nee, natuurlijk niet. Maar hij zou kunnen denken…"

„Ik heb geen man. Ik vind toch dat je je vrouw moet bellen. Anders komen er praatjes van. Mensen hebben maar een kleine aanleiding nodig."

Ze stond op en verliet het vertrek. Even later hoorde hij de voordeur dichtslaan. Met een zucht hees hij zich overeind en deed voorzichtig enkele stappen om zijn mobiel uit zijn jaszak te pakken. Oef, hij zwabberde op zijn benen.

Snel installeerde hij zich weer op de bank. Hij toetste het nummer in. Natuurlijk was ze nog niet thuis, dat had hij kunnen weten. Hij zou iets inspreken op het antwoordapparaat, dat was wel zo gemakkelijk. In gedachten formuleerde hij een paar zinnen en probeerde het nummer opnieuw.

„Paula, met mij. Het spijt me dat ik niet kon komen. Ik ben plotseling ziek geworden. De dokter constateerde een galaanval. Ik ben nu bij een kennis en blijf hier vannacht. Ik bel je morgen."

Paula zou zich zeker afvragen bij welke kennis hij de nacht doorbracht. Maar hij had bewust geen adres doorgegeven. Hij wilde dit voor zichzelf houden. Zonder enige bijbedoeling overigens. Feline kon zijn dochter zijn. De dochter die hij had gekregen en weer had moeten afstaan. Hoe moest hij voor elkaar krijgen dat hij hier nog eens terug kon komen? Alleen om de prettige sfeer, vertelde hij zichzelf. Want dat het om deze jonge vrouw zou zijn die hij enkele uren geleden voor het eerst had gezien, dat wilde er bij hem niet in.

Een feit was dat hij zich bij haar volkomen op zijn gemak voelde. Hij dacht dat hij wel uren naar haar kon kijken zonder dat het ging vervelen. Maar in haar ogen was hij natuurlijk een ouwe vent. Ze zou beter bij zijn zoon Casper passen. Een gevoel van wrevel bekroop hem. Casper was een knappe vent, hij had een interessante baan. Er waren altijd vrouwen in zijn buurt, hoewel Simon niet de indruk had dat hij daar misbruik van maakte. Casper kon soms een beetje spottend doen om al die aandacht. Nee, Simon zou niet willen dat dit lieve meisje voor de charmes van Casper viel. Die twee konden elkaar maar beter niet ontmoeten.

Wat bezielde hem eigenlijk? Wilde hij deze Feline voor zichzelf houden? Ze moest eens weten. Waarschijnlijk zou ze hem in zijn gezicht uitlachen. Hoewel, zo'n type leek ze hem niet.

Toen hij de sleutel in het slot hoorde liet hij zich weer achteroverzakken en nam voor het eerst de omgeving goed in zich op. Het was zonder meer een prettige kamer. Er stonden geen dure meubelstukken in, zoals bij hem thuis. Maar deze Feline had smaak en wist een sfeer te creëren waarin hij zich thuisvoelde.

De deur kierde open en een kinderkopje gluurde om de hoek. Hij kwam overeind. „Zo, dit is Heidi," zei Feline.

„Ben jij een opa?" vroeg het kind.

„Zover heb ik het nog niet gebracht," zei Simon. Het kind ging op de bank zitten en keek hem onbevangen aan. „Wie ben jij?"

„Ik heet Simon."

„Mam, hij heet Simon." De jonge vrouw glimlachte naar hem en Simons hart sloeg een slag over. „Ik weet het, liefje. Deze meneer blijft hier slapen omdat hij een beetje ziek is."

Het kind gleed nu van de bank af en kwam bij hem staan. „Ben je echt ziek?" informeerde ze.

„Een beetje wel," gaf hij toe.

„Heb je zelf geen huis?"

„Daar kan hij even niet heen," antwoordde haar moeder voor hem.

„Kun jij spelletjes doen?" vroeg het kind.

„Nee, nu niet. Deze meneer moet rusten," zei Feline.

„Hij heet Simon," wees het kind haar terecht. Simon glimlachte. Moeder en dochter waren beiden zo ontspannen en totaal niet verlegen, dat deed hem goed.

Toen Heidi zich bezighield met een poppenhuis, waarvan Simon onmiddellijk zag dat het zelf gemaakt was, zei hij: „Het is voor mij een verademing hier te mogen zijn. Wil je mij iets over jezelf vertellen? Het interesseert mij echt."

„Misschien als Heidi naar bed is. Heb je naar huis gebeld?"

„Ja. Zoals ik al dacht, is mijn vrouw niet thuis. Ik heb het antwoordapparaat ingesproken."

„Dus de kans bestaat dat ze je zo komt halen?"

Verbeeldde hij het zich of vond ze dat geen prettige gedachte?

„Ik heb niet gezegd waar ik ben."

Ze fronste de wenkbrauwen, maar zei er verder niets over.

De maaltijd was eenvoudig maar keurig verzorgd. Simon at alleen een beetje soep.

Toen Heidi in bed lag ging Feline aan tafel zitten. „Ik moet nog een en ander voorbereiden," legde ze uit. Simon begreep dat hij haar niet moest storen. Maar het verveelde hem absoluut niet, alleen naar haar te kijken. Ze was een pittig ding met het korte donkere haar en de fraaie halslijn. Haar vingers trommelden af en toe zachtjes op tafel. Het was zo stil in het vertrek dat hij het tikken van de klok kon horen en soms een lichte zucht van Feline.

Hij sloot de ogen en moest even geslapen hebben, want hij schrok wakker, toen Feline haar stoel achteruit schoof en opstond. „Sorry, maakte ik je wakker?" vroeg ze vriendelijk.

„Nou ik... het is toch te belachelijk voor woorden, dat ik hier als een hoogbejaarde zonder meer in slaap sukkel," viel hij verontwaardigd uit.

„Je bent immers ziek. Zal ik theezetten?"

„Graag." Hij volgde haar bewegingen toen ze de papieren van tafel ruimde en naar de keuken liep. Ze droeg een donkere spijkerbroek, met daarop een gestreepte blouse met een leren vest. Eenvoudig en zonder enige opsmuk. Gelukkig zag hij geen stuk blote rug of buik. Hij had de meisje in het hotel verboden er zo bij te lopen, althans tijdens hun werk.

„Waarom kijk je zo naar me?" klonk het plotseling.

„Je bent leuk om naar te kijken," antwoordde hij.

Ze fronste. „Flirt je met me?"

„Nee, dat was niet de bedoeling. Ik kon je vader zijn."

„Zo oud ben je nog niet."

„Wat denk je?"

Ze haalde de schouders op. „Eind veertig?" Ze

wachtte niet op antwoord, maar verdween weer in het keukentje. Simon was nijdig op zichzelf. Waar hij mee bezig was leek inderdaad op flirten. Hij, een keurig getrouwd, gerespecteerd persoon. Even dacht hij aan Paula en toen kwam de ontstellende gedachte bij hem op: ik houd niet meer van haar. Allang niet meer.

Hij haalde opgelucht adem, toen Feline binnenkwam met de thee. Ze schoof een tafeltje bij en zette alles voor hem klaar. „Vertel eens over jezelf," zei hij.

„Er is niet zoveel te vertellen. Ik heb niet zo'n spannend leven. Zoals ik je al zei, ik heb enkele jaren voor mijn moeder gezorgd, mijn vader was toen al weg."

„Weg?" herhaalde Simon.

„Mijn ouders waren uit elkaar. Ik heb al jaren geen contact meer met mijn vader."

„Je hebt dus enkele jaren van je leven opgeofferd om voor je moeder te zorgen."

„Zo zie ik dat niet. Ik was bij haar in huis met Heidi. Het werkte van twee kanten."

„En de vader van je dochter? Vergeef me als ik nieuwsgierig lijk."

„Het is geen geheim. We hadden al enkele jaren een relatie, maar hij begon te drinken. Soms was hij dan gewelddadig. Dat kon ik mijn kind niet aandoen."

„Heeft hij dat zonder meer geaccepteerd? Je hoort weleens van dergelijke lui dat ze hun vrouw toch niet kunnen loslaten."

„Ik ben niet bang voor hem," zei ze luchtig. Simon keek haar even aan. Hij betwijfelde of ze nu de waarheid sprak. „Hij is alleen agressief als hij dronken is," zei ze nog.

„Het hangt er natuurlijk vanaf hoe vaak dat voor-komt."

„Ik heb nu niets meer met hem te maken," reageerde ze tamelijk kortaf. Ze wilde er kennelijk niet verder over praten. Vreemd dat vrouwen die zoiets mee-maakten vaak toch de man in kwestie de hand boven het hoofd hielden.

„Dit is toch voor een jonge vrouw als jij maar een eenzaam bestaan," zei Simon nog.

„Het is uiteindelijk rustig en veilig. Ik heb het een beetje gehad met mannen. Ik had thuis ook al een en ander meegemaakt. Verder wil ik het er niet over heb-ben als je 't niet erg vindt."

Simon voelde zich terechtgewezen en geneerde zich een beetje. Hij had ook wel veel gevraagd. Maar zijn belangstelling voor deze jonge vrouw was echt. Hij wilde dat hij iets voor haar kon doen, maar zo te zien had ze geen hulp nodig.

Financieel misschien? Maar hij wilde haar niet bele-digen.

„Ik wilde naar bed gaan," zei ze even later. „Heb jij nog iets nodig?"

„Ik denk het niet. Morgen wil ik weer gewoon naar mijn werk."

„Misschien is dat nog wat te vroeg. Zelf moet ik morgen om negen uur op school zijn."

„Dan ga ik natuurlijk ook weg," zei Simon, die hoopte dat ze zou zeggen: blijf gerust.

Maar ze zei niets van dien aard. Na een glas water binnen handbereik te hebben neergezet, verdween ze met een kort 'welterusten'.

Toen ze weg was gingen Simons gedachten hun

eigen gang. Hier lag hij nu op de bank in het appartement van een jonge vrouw, die hij vandaag pas voor
het eerst had ontmoet. En hij kon nergens anders aan
denken dan aan haar. Zijn verstand zei hem dat dit een
bevlieging was. Dat hij moest proberen zijn huwelijk
te redden. Maar zijn gedachten kwamen steeds terug
bij Feline, die niet alleen bijzonder aantrekkelijk was,
maar in zijn ogen ook intelligent en lief.

Het leven bestond uit meer dan visites, clubjes en
winkelen. Met Paula voerde hij nooit meer een echt
gesprek. Waarover zou dat moeten gaan? Paula's interesses waren zeer beperkt in zijn ogen. Hij vroeg zich
af of zijn vrouw nog van hem hield. Het was toch teke-
nend dat hij dat niet wist. Als het echt goed tussen hen
was geweest, dan was hij hier nooit terechtgekomen,
Dan was hij gewoon naar huis gegaan. Maar hij had
het vervelende gevoel dat alle problemen alleen in zijn
hoofd bestonden. Hij wist wel zeker dat Paula stomverbaasd zou zijn als hij haar vroeg of ze nog van hem
hield. Maar wat zou haar antwoord zijn? Waarschijnlijk zoiets als: zoiets vraag je toch niet. We zijn al dertig jaar samen! Of dat laatste een bewijs was van liefde. Je kon het ook zien als dat ze nooit de moed hadden gehad om de sleur te doorbreken.

Uiteindelijk viel hij in slaap en werd wakker door de
heldere stem van Heidi, die meedeelde: „Mama, hij
slaapt."

„Nu niet meer," glimlachte Simon.

„Goedemorgen. Wil je misschien vast douchen?"

„Als het kan."

„Natuurlijk. Ik maak het ontbijt klaar."

Simon knapte op van de warme douche. Het was

alleen vervelend dat hij niets meer bij zich had dan wat hij aanhad. Hij zou zich in het hotel onmiddellijk verkleden.

Het ontbijt was keurig verzorgd, met sinaasappelsap en warme broodjes.

„Ik wil je graag voor je gastvrijheid betalen," zei Simon plotseling.

„Je meent het. Nou, dat wil ik echt niet."

„Kan ik iets anders voor je doen?"

„Ik zou het niet weten."

„Mag ik nog eens terugkomen?" waagde Simon dan.

„Als je dat wilt."

„Dat zou ik heel graag willen."

Ze keek hem aan. Er was iets in zijn blik waardoor ze het gevoel kreeg dat dit erg belangrijk voor hem was. „Kom gerust nog eens langs. Maar bel even van tevoren," zei ze vriendelijk.

„En jij kunt mij ook bellen als er iets is. Ik kan best iets voor je regelen, ook op financieel gebied. Begrijp me niet verkeerd. Volkomen vrijblijvend. Er kan toch altijd iets gebeuren waardoor je hulp nodig hebt," eindigde hij een beetje tam.

„Hulp van een belangrijke man. Nou, dat is best een prettige gedachte," glimlachte ze.

Simon fleurde op. „Hier is mijn kaartje. Je kunt me altijd bellen." Tot zijn opluchting zag hij dat ze het kaartje zorgvuldig opborg.

Wat later stonden ze tegenover elkaar. „Heel veel dank voor je goede zorgen," zei Simon.

„Het was niets," zei ze een beetje verlegen.

„Voor mij was het heel veel."

„Doe nou maar rustig aan de komende dagen. En

geen diners," zei ze met een lachje.

Simon belde een taxi en liet zich naar het hotel brengen. Het kwam niet in hem op om eerst naar huis te gaan.

2

Toen hij het hotel binnenkwam was het eerste wat de receptioniste zei: „Uw vrouw heeft gebeld."
Hij knikte kort en liep regelrecht naar zijn kantoor. Na haar begroeting zei Andrea eveneens: „Uw vrouw heeft gebeld. Ze leek me nogal ongerust."

Ook dat nog. Paula die over haar toeren was. In echte ongerustheid geloofde hij niet, maar ze zou boos zijn, erg boos. Hij keek even naar Andrea die de wenk begreep, opstond en de kamer verliet. De telefoon werd direct opgenomen.

„Ja, Paula, met mij. Vervelend dat ik je gisteravond niet kon bereiken."

„Waar heb je in vredesnaam gezeten? Ik heb alle ziekenhuizen afgebeld."

„Als ik op het antwoordapparaat inspreek dat ik bij een kennis ben, dan ben ik niet in een ziekenhuis," zei hij nors.

„Eerst heb ik de hele avond op je gewacht op die party. Ik wist niet hoe ik je moest verontschuldigen. Toen ik het hotel belde zeiden ze dat je op de gewone tijd was weggegaan."

„Dat klopt."

„Waarom kwam je niet naar huis als je je niet goed voelde?"

„Ik had behoefte aan frisse lucht."

„Waar ben je de hele nacht geweest? Ik heb diversen van onze kennissen gebeld en voelde me behoorlijk voor aap staan. Je begrijpt dat ik genoeg flauwe grapjes te horen heb gekregen."

„Zoals?" informeerde hij, hoewel hij het wel kon raden.

„Dat je waarschijnlijk een vriendin hebt, bijvoorbeeld." Ze zweeg afwachtend.

„Waaruit maar weer blijkt dat wij een raar soort kennissen hebben," zei hij. „Ik vertel je het hele verhaal wel als ik thuiskom."

„Casper komt vanavond ook. Ik heb hem gebeld."

„Lieve help, Paula, waarom gedraag je je zo overspannen?"

„Ik was in gedachten al bezig je begrafenis te regelen." Paula klonk werkelijk geëmotioneerd en hij voelde zich ineens schuldig.

„Dat is niet aan de orde. Maar ik ga nu aan het werk. De rest hoor je vanavond."

Toen Simon de hoorn had neergelegd trommelde hij, in gedachten verzonken, met zijn vingers op zijn bureau. Hij zou toch gedeeltelijk de waarheid moeten vertellen. Hij hoefde niet te liegen. Strikt genomen was het niet vreemd dat Paula ongerust was geweest, temeer daar hij had ingesproken dat hij zich niet goed voelde. Waar was hij mee bezig? Hij zou verstrikt raken in een web van leugens. Waarom haalde Paula hun zoon erbij? Hij wilde niet tegenover iedereen verantwoording afleggen. Ze zouden niet begrijpen waarom hij geen taxi naar huis had genomen. Hij zou nooit kunnen uitleggen dat hij helemaal in de ban was geraakt van een jonge vrouw, een meisje nog bijna. Dat hij bij haar had willen blijven. Ze zouden denken dat hij niet goed bij zijn hoofd was. Hij was al dertig jaar getrouwd met Paula. En hij had altijd met enige minachting neergekeken op mannen van zijn leeftijd die ineens een veel jongere vriendin hadden. Hij moest dit hele incident zo snel mogelijk vergeten. Maar eerst moest hij zorgen dat hij een goed verhaal voor thuis had, zodat ze hem zouden geloven.

Hij ging die avond wat vroeger naar huis, eigenlijk hopend dat Paula nog niet thuis zou zijn. Ze was veel weg, omdat ze nu eenmaal erg actief was in allerlei vrijwilligerswerk. Hij moest zichzelf bekennen dat hij niet eens goed op de hoogte was van wat ze allemaal deed.

Zijn vrouw was echter thuis en ze zag er tamelijk gespannen uit. „Dus je komt toch nog thuis," ging ze onmiddellijk in de aanval.

„Praat geen onzin," zei hij zo kalm mogelijk. „Natuurlijk heb ik geen ander. Heb ik je ooit reden gegeven zoiets te denken?"

„Zeker heb je dat. Om te beginnen ga je altijd met grote tegenzin met mij mee, waar ook naartoe. Je weet absoluut niet waar ik mij mee bezighoud. Het interesseert je ook geen klap."

„Datzelfde geldt toch voor jou. Je komt nooit in het hotel. Het personeel kent je alleen als een stem via de telefoon. We leven al jaren zo en ik heb je nog nooit horen klagen."

„Je was bij een vrouw, waar of niet?" drong ze aan.

„Ja. Maar het is niet wat jij denkt. Lieve help, Paula, ik heb nooit naar een andere vrouw gekeken."

„Doe nou niet net of ik voor jou de zon, de maan en de sterren ben."

Hij antwoordde niet direct. Natuurlijk was de situatie tussen hen anders dan vroeger. Maar toch was de gedachte aan een andere vrouw nooit bij hem opgekomen. Tot gisteren! En dat kon hij wel afdoen als een bevlieging. Daarom zei hij: „Ik zei je vanmorgen al dat ik me niet goed voelde, en ergens bij een flat op een trap ben gaan zitten. Ik kon gewoon niet meer verder. Er was daar een vrouw die mij opving. Ze belde een arts en die constateerde een galaanval. Ik had met een taxi naar huis kunnen gaan, maar ik wist dat jij er niet was. En het was beter als ik niet alleen was."

„Je had mij toch kunnen bellen."

„Ik wilde je niet storen. Ik ben nu thuis en ik zou willen dat je de zaak niet zo opblies."

„Wil je mij het adres van die vrouw geven?" vroeg Paula.

„Waarom?"

„Dan kan ik haar een bloemetje sturen."

Hij keek haar achterdochtig aan, niet helemaal zeker van haar goede bedoelingen.

„Dat is wel een goed idee. Maar het lijkt mij eerder mijn taak dan de jouwe."

„Simon, ik vind dit allemaal ontzettend vreemd."

„Dat merk ik. Je doet of ik mijn tijd met een escortdame heb doorgebracht. Lieve help, Paula, je zou me toch beter moeten kennen. Jouw achterdocht zegt wel iets over ons huwelijk, vind je niet?"

„Nou moet je de zaak niet omdraaien door te doen alsof ik me vreemd gedraag. Wil je koffie?"

„Nee, geen koffie."

„Wil je wel iets eten?"

„Een lichte maaltijd." Simon had het gevoel dat hij wel een paard op zou kunnen, maar het leek hem verstandig de eerste tijd wat uit te kijken met eten. Dat had de dokter trouwens ook gezegd.

Paula maakte een en ander voor hem en haarzelf klaar en hield hem tot zijn ergernis voortdurend in de gaten terwijl hij at. „Wil je niet voortdurend op me letten?" zei hij uiteindelijk.

„Misschien moet jij je eens helemaal laten nakijken," zei ze bedachtzaam.

„Dat vond die arts niet nodig."

Ze zweeg. Hij zag dat ze zelf nauwelijks at. Hij wilde haar niet naar de reden daarvan vragen. Hij wist wel zeker dat hij zelf de oorzaak was van haar gebrek aan eetlust.

Zonder iets te zeggen presteerde ze het om hem toch een schuldgevoel te bezorgen. Hij volgde haar met zijn ogen toen ze de tafel afruimde, snel en handig zoals ze alles deed. Paula was altijd keurig verzorgd. Haar zou je nooit aantreffen in een jeans en een T-shirt. En ze zou zoiets best kunnen dragen, ze had een prima figuur. Toen ze de kamer binnenkwam en hij haar opmerkzame blik opving, pakte hij de krant van de lectuurtafel.

Wat bezielde hem, hij had zelden over Paula's kleding nagedacht. Wilde hij haar veranderen in zo'n zelfde type als Feline? Het idee… Hij had nog nooit iemand ontmoet met zo'n warme uitstraling als Feline. Ze moest wel geliefd zijn bij de kinderen uit haar klas.

„Je denkt nog steeds aan haar," zei Paula plotseling.

„Ik lees de krant," antwoordde hij korzelig.

„O ja? Je hebt nu al een kwartier die pagina-grote advertentie voor je neus over een of ander automerk. We hebben pas een nieuwe auto."

„Hou eens op," verzocht hij. „Ik geef toe, ik ben nog niet helemaal mezelf. Ik dacht dat ik een hartaanval kreeg. Die schrik ben ik nog niet helemaal kwijt." Dat is in elk geval waar, dacht hij.

„Dacht je... was je bang dat je het niet zou overleven?"

Simon schudde het hoofd. „Daar hield ik me niet direct mee bezig."

Maar hij had er wel even aan gedacht. Ik zou dit echter eerder tegenover Feline toegeven dan tegenover mijn eigen vrouw, dacht hij beschaamd. Paula was altijd zo flink, ze leek nergens bang voor.

„Die vrouw dacht er zeker niet aan de dominee te waarschuwen."

„Natuurlijk niet. Ik had een dokter nodig. Zij wist wel een en ander van verpleging. Ze heeft een aantal jaren voor haar zieke moeder gezorgd."

„Ik zou me kunnen voorstellen... als je echt bang was voor een hartaanval..."

„Ook dan heb je eerst en vooral een dokter nodig, Paula. Geestelijke bijstand, daar dacht ik op dat moment niet aan."

„Doe je dat wel ooit?"

Daarin vergist ze zich, dacht Simon. Hij was soms danig de weg kwijt, maar hij wilde daar niet met zijn vrouw over praten. En ook zat er iets goed fout in zijn huwelijk, want dat was de reden dat hij onder de indruk was geraakt van Feline.

Het was nu geruime tijd stil en Simon bedacht dat ze weinig avonden zo samen thuis waren. Dat zou de reden wel zijn dat ze elkaar zo weinig te zeggen hadden. Hij was blij toen hij een auto op de oprit hoorde stoppen. Dat moest Casper zijn.

„Zo, daar ben ik dan." Casper, bijna twee meter lang,

met het donkere haar van zijn vader en de grijze ogen van Paula. Een knappe, levendige jonge vent was het en Simon wist dat hij hem het adres van Feline niet zou geven.

„Zo pa, je bent dus weer komen opdagen. Moeder was gisteravond, of eigenlijk gisternacht, volledig in paniek. Was je de bloemetjes aan het buiten zetten?"

„Ik had je moeder gebeld, maar ze was naar een feestje. Ik wilde haar daar niet bellen. Je zult inmiddels wel hebben gehoord dat ik een galaanval heb gehad."

„Ja. En dat je onderdak zocht, en kreeg, bij een jonge vrouw."

„Ik was in het trappenhuis van haar flat terechtgekomen en voelde me hondsberoerd. Ze deed wat ieder mens zou moeten doen in zo'n geval, ze verzorgde me."

„Een barmhartige Samaritaanse. En bleef ze de hele nacht zorgen?"

„Het leek de dokter beter als ik daar bleef. Er is verder niets aan de hand. Het meisje kon mijn dochter zijn."

„In dat geval wil ik graag haar adres. Ik heb nooit meegemaakt dat jij meer dan één keer naar een vrouw kijkt, ze moet dus iets heel bijzonders zijn. Jij bent niet iemand die gemakkelijk contacten legt. En als je niet fit bent, dan ben je toch het liefst thuis.'"

Simon dacht eraan dat hij had overgegeven en dat Feline hem had verzorgd zonder daar woorden aan te verspillen. Ja, ze is bijzonder, dacht hij. Zo bijzonder dat hij haar voor zichzelf wilde houden. Hij wilde niet dat Casper of Paula haar zouden ontmoeten.

Kalm zei hij: „Ik ben nu weer thuis. Ik wil niet verhoord worden door jou of door je moeder. Het is gegaan zoals ik heb gezegd. Ze heeft mij fantastisch opgevangen en ik weet wel zeker dat ze niet zit te wachten op de rest van mijn familie. Kunnen we dit onderwerp nu laten rusten?"

Casper zweeg even en begon dan te vertellen over zijn werk. Hij had niet alleen een studio waar hij portretfoto's maakte, hij verzorgde ook bruidsreportages en de laatste tijd werkte hij mee aan een luxe tijdschrift over wonen en tuinen. Hij was goed in zijn vak en Simon was trots op hem. Hij was geabonneerd op het tijdschrift waar Casper regelmatig aan meewerkte.

„Misschien breng ik volgende week een meisje mee om te eten," zei Casper toen. Simon keek hem aan. Was het weer zover? Hoeveel hadden ze er hier al aan tafel gehad?

„Heb je eindelijk de ware gevonden?" vroeg Paula hoopvol.

„Nou, moeder, dat is wel erg voorbarig. Als je er zo tegenaan kijkt, dan stel ik dat bezoek voorlopig nog uit. Ze zou helemaal kopschuw worden. Ze werkt als fotomodel en is erg goed. Ik denk niet dat ze aan een vaste relatie toe is."

„Wat is dat toch met die jongelui?" mopperde Paula toen hij weg was. „Ze willen alles, een carrière en ook een man, soms ook nog kinderen waar anderen dan voor moeten zorgen…"

„Zou jij niet graag als oppas voor een kleinkind fungeren?" vroeg Simon nieuwsgierig.

„Nou, ik heb ook mijn eigen dingen. Dat mag dan in jouw ogen niet belangrijk zijn, maar ik betwijfel of ik alles zou opofferen om mijn schoondochter de kans te geven om te werken."

„Nou, zover is het nog lang niet," zei Simon toch enigszins verbaasd.

Casper was alles voor Paula. Was het mogelijk dat ze jaloers zou zijn op een eventuele schoondochter? Jammer, dat het altijd bij die ene zoon was gebleven. Even gingen zijn gedachten naar het kleine meisje dat slechts enkele uren geleefd had. Mogelijk had Paula lang gehoopt dat ze nog eens zwanger zou raken. Ze hadden het er slechts één keer over gehad. Toen meende hij te begrijpen dat Paula doodsbang was dat ze een dergelijk drama nog eens zou moeten meemaken.

„Was dat meisje even oud als onze Emma geweest zou zijn?" vroeg Paula plotseling zacht. Hij keek haar aan en zag een glimp van pijn in haar ogen. „Ze is zesentwintig," antwoordde hij.

Paula knikte alleen en Simon wist niets anders te zeggen dan dat hij naar bed ging. „Ik voel me nog niet helemaal fit," voegde hij er nog aan toe.

Toen hij in bed lag bedacht Simon dat hij nu al de hele tijd bezig was zijn huwelijk onder de loep te nemen. Kwam dat nu enkel door zijn ontmoeting met die jonge vrouw? Het beeld van haar rustig optreden en haar warme glimlach stond hem nog helder voor ogen. In gedachten onderzocht hij alle mogelijkheden om haar nog eens te ontmoeten. Hoe moest hij dat voor elkaar krijgen zonder opdringerig te lijken.

De ontmoeting met Simon hield Feline ook bezig. Hij had zich heel verlegen gevoeld met de situatie, dat had ze wel gemerkt. Hij was bepaald niet een van die macho's waar zij zo'n hekel aan had. Ze had medelijden met hem gehad, ze had gewoon aangevoeld dat hij niet bepaald gelukkig was. Daar heb jij een speciale antenne voor, zei haar vader vroeger altijd. Ja, dat was het ook. Simon deed haar aan haar vader denken. Haar vader die van de ene op de andere dag was vertrokken en nooit meer iets van zich had laten horen. Tien jaar geleden was dat inmiddels. Ze had heus wel geweten dat haar ouders niet echt een goed huwelijk hadden. „Niet bepaald in de hemel gesloten," zoals haar moeder het soms uitdrukte. Ze waren getrouwd omdat haar moeder zwanger was van haar, Feline. Dit laatste werd haar vader voortdurend verweten. Zonder die zwangerschap zouden ze nooit zijn getrouwd. Feline had haar vader nooit anders gekend dan stil en in zichzelf gekeerd. Ze wist wel dat hij van haar hield. Zodra ze met hem alleen was, veranderde hij. Dan vroeg hij belangstellend naar school en vriendinnen en zei dat hij altijd van haar zou houden, wat er ook gebeurde. En dat hij blij was dat zij er was. Het lichtpuntje in zijn leven. „Waarom ga je nooit tegen moeder in?" had ze weleens gevraagd.

„Om niet nog meer herrie te krijgen. Maar wat word ik hier moe van, meisje."

En toen was hij van de ene op de andere dag ver-dwenen. Ze had een brief gevonden onder haar kussen:

Mijn lieve fluweeltje,

Je moeder zal zeggen dat ik een andere vrouw heb ontmoet. Dat is niet zo. Ik kan het alleen niet meer aan, dit leven van voortdurende verwijten en gevit. Misschien zien we elkaar ooit terug. Weet dat ik van je houd. Je vader.

En dat was alles. Haar moeder was woedend geweest en later verbitterd. Zijzelf kon met haar verdriet nergens terecht. Toen haar moeder ziek werd was er maar één oplossing: zij moest thuisblijven. Feline zorgde plichtsgetrouw, maar studeerde ieder vrij uurtje, wetend dat hier eens een eind aan zou komen. Op het laatst had haar moeder gezegd: 'Ik heb je vader niet goed behandeld. En jou ook niet. Het spijt me. Probeer het zelf beter te doen.'

Terwijl Feline zich die morgen klaarmaakte, intussen met een half oor luisterend naar de driejarige Heidi, bedacht ze dat ze er tot nu toe weinig van gemaakt had. Na de dood van haar moeder had ze al snel een relatie gekregen met een medestudent. Toen ze zwanger raakte en hij in eerste instantie een abortus voorstelde, had ze de verhouding verbroken. Ze wilde alleen voor haar kind zorgen. Het moest niet gaan zoals bij haar moeder, die indertijd trouwde omdat ze dacht het alleen niet aan te kunnen. Zijzelf had nu een prima leven. Goed, ze had het financieel niet breed, maar ze had geen schulden. Ze had nooit kunnen denken dat Benno op zijn eerdere beslissing zou terugkomen en een bezoekregeling zou eisen. Als het aan haar lag, zou dat nooit gebeuren. In het chaotische leven van Benno paste geen kind.

Inmiddels had ze Heidi naar de crèche gebracht en was ze bij school aangekomen.

Ze parkeerde haar kleine auto op haar vaste plaats en bleef nog even zitten. Het kwam door Simon dat ze nu ineens zo met haar verleden bezig was. Simon leek echt een beetje op haar vader. Haar vader die diep ongelukkig was geweest in zijn huwelijk, daarvan was ze overtuigd. Misschien had ze daardoor een speciale antenne voor mensen die zich eenzaam voelden.

De kinderen waren nog op het plein aan het spelen en ze bleef een moment bij de deur staan. Een van hen kwam naar haar toe en legde aanhalig zijn hoofd tegen haar arm. Ze maakte zich voorzichtig los.

Anderen zouden jaloers kunnen worden. Daarnaast had dit kind de neiging om plotseling te bijten. Het waren zeker geen gemakkelijke kinderen. Toch, of misschien juist daarom, gaf dit werk haar veel voldoening.

De groep kwam nu langzaam binnen druppelen en ze wilde achter hen aan gaan toen ze de auto zag. Een auto die voor het hek stopte en een man die uitstapte en haar richting uitkeek.

Hij was het. Simon! Wat betekende dit? Wilde hij haar spreken? Maar wat kon er zo belangrijk zijn dat zij het direct moest weten? Hij zou toch niet denken dat ze wel iets voelde voor een avontuurtje? Nee, dat kon ze niet geloven. Daar had hij zich niet naar gedragen. Misschien had hij ruzie met zijn vrouw omdat hij zomaar was weggebleven. Dat zou ze zich kunnen voorstellen. Maar zij had daar niets mee te maken. Ze ging in elk geval niet naar hem toe. Ze was al laat. Ze keek nog een keer om en ging toen naar binnen. Als dit nog een keer voorkwam, zou ze hem zeggen dat ze daar geen prijs op stelde. Maar kon ze hem wel zo abrupt afwijzen? De man was eenzaam en koesterde zich in elk minuutje aandacht.

Feline beet op haar lip. Er was haar regelmatig gezegd dat ze te snel haar gevoel liet spreken en dan haar verstand uitschakelde. Dat gebeurde soms ook tegenover de kinderen. De meesten waren op haar gesteld en lieten dat ook blijken. Maar sommige leerkrachten vonden haar te zacht en te toegeeflijk. Ze was niet streng genoeg volgens hen. Het was een feit dat deze kinderen strenge regels nodig hadden, misschien nog meer dan andere kinderen. Er waren soms verzachtende omstandigheden als ze zich onmogelijk gedroegen, het was soms wel begrijpelijk, maar toch, in de klas moest zij hun normaal gedrag bijbrengen. Voor de situatie thuis was er begeleiding van psychologen. Feline bleef het moeilijk vinden streng te zijn. Ze was te gevoelig van aard. Nu was ze weer bezig met Simon, die eenzaam was en niemand had om mee te praten.

Ze was enkele minuten te laat in de klas. De kinderen maakten een hels kabaal en gingen daarmee door toen ze binnenkwam. Ze deden net of zij er niet was. Even zag ze het aan, toen slaakte ze een woedende kreet die tot op de gang te horen moest zijn. Het was abrupt stil. Ze kon maar met moeite haar lachen inhouden toen ze de verblufte gezichten zag.

„Waarom deed je dat?" vroeg een van de jongens.

„Omdat jullie mij anders niet horen." Misschien moest ze het op deze manier aanpakken, dacht ze even later, maar ze wist van andere leerkrachten eigenlijk wel dat woedend geschreeuw ook niet werkte. Ze raakten eraan gewend. Het paste ook niet bij haar. Het is de schuld van Simon, dacht ze een beetje boos. Daardoor was ze te laat en uit haar doen. Ze zou hem zeggen dat hij zich hier niet meer moest laten zien. Maar als hij toch verder contact zocht wat moest ze dan? Hij wist waar ze woonde en ze had zomaar het gevoel dat hij het hierbij niet zou laten. Maar voor dit gepieker had ze nu geen tijd. Resoluut zette ze de hele kwestie van zich af en ging aan het werk.

In feite geneerde Simon zich ervoor dat hij had toegegeven aan de impulsieve gedachte om te gaan kijken waar ze werkte. Er was in hun woonplaats maar één z.m.l.k.-school, dus moeilijk was het niet om haar te vinden. Hij had haar al gezien toen ze hem voorbijreed en haar auto binnen het hek parkeerde. Hij had zich moeten dwingen om te blijven zitten. Hij zou zich belachelijk maken. Wat had hij haar te zeggen? Toch was hij alsnog uit de auto gestapt. Hij zou haar kunnen vragen of ze nog kosten had gemaakt. Hij zou niet weten wat en van de dokter zou hij wel een rekening krijgen. Maar hij kon haar niet lastigvallen, hier bij de school. Toch wist hij zeker dat ze hem gezien had. Hij had gehoopt dat ze naar hem toe zou komen om te vragen hoe het met hem ging. Paula had vanmorgen die vraag ook gesteld. Ik heb tamelijk kribbig geantwoord, dacht hij met enig schuldgevoel. Als hij niet wilde dat Paula hier iets achter ging zoeken, moest hij vriendelijk tegen haar zijn. En daar had hij nu juist moeite mee. Terwijl hij de auto startte voelde hij een enorme tegenzin om naar zijn werk te gaan. Hij voelde zich ook nog niet helemaal fit, dat zou het wel zijn. En hij kon zijn gedachten niet stilzetten. Hij kon gewoon niet aannemen dat hij Feline nooit meer zou zien. Hij wilde zich echter niet verdiepen in de vraag wat dat betekende. Als hij vijfentwintig jaar jonger was, zou hij zeggen dat hij plotseling verliefd was geworden. Maar nu, op zijn leeftijd... ze kon zijn dochter zijn. Misschien was het dat wel. Dat hij zijn dochter had verloren en dat dit meisje hem de ideale dochter leek. Zij had immers geen vader meer. Misschien kon Feline een beetje de plaats innemen van zijn verloren meisje. Hij zuchtte diep. Nu sloegen zijn gedachten toch werkelijk op hol.

Ik kan haar een bloemetje brengen, schoot hem toen te binnen. Hij kon zeggen dat het een idee van zijn vrouw was, dan zou ze er niets achter zoeken. Hij bedoelde er immers ook niets verkeerds mee.

Hij nam ineens het besluit langs Joline te gaan. Hij mocht zijn schoonzuster graag. Zij bracht het christen-zijn in praktijk, zei hij soms. Wat Paula dan weer ergerde. Paula zelf deed allerlei werk vanuit de kerk. Ze bezocht zieken en bejaarden, ze zette zich onmid-dellijk in als er geld moest worden ingezameld voor een of ander goed doel. Men kon altijd een beroep op haar doen. Ook prima natuurlijk. Hij had alleen wel-eens het gevoel dat Paula zich erop liet voorstaan, ter-wijl Joline stilletjes haar gang ging. Dat was meer zijn stijl. Wat, zijn stijl? Hij deed helemaal niks.

Het grote gebouw net buiten de stad, waarin het opvangcentrum gevestigd was, zag er enigszins ver-waarloosd uit. In het begin waren er in deze wijk nogal wat protesten van de bewoners geweest. Maar men had doorgezet en het leek nu goed te gaan. De mensen van het centrum veroorzaakten geen overlast, waar de omwonenden wel bang voor waren geweest.

„Maar het is natuurlijk geen prettig gezicht, dergelij-ke verwaarloosde mensen te zien rondlopen in onze keurige wijk," had een dame uit de buurt opgemerkt.

Joline kon zich over dergelijke praatjes flink opwinden. Ze had het indertijd verteld toen ze een keer bij hem op bezoek was.

„Dat zijn van die mensen van wie de neus altijd omhoog wijst," had ze schamper opgemerkt.

De laatste tijd kwam ze niet vaak meer. „Je moet reëel blijven," had Paula een keer opgemerkt. „Er zijn psychiatrische patiënten bij, drugsverslaafden, mensen die in de gevangenis hebben gezeten. Het gevaar is niet denkbeeldig dat er eens iemand door het lint gaat. En zoiets slaat soms over op de hele groep. Kun jij iets dergelijks wel aan?" had ze Joline gevraagd.

„Ik sta er niet alleen voor. We zijn altijd met zijn drieën. En de bewoners zouden ons nooit kwaad doen," was het antwoord van Joline geweest.

„Daar kun je niet zeker van zijn."

„Tjonge, wat zijn we op de hoogte," had Joline scherp geantwoord.

Paula had toen wel een beetje gelijk, dacht Simon terwijl hij zijn wagen voor het grote huis parkeerde. Er waren zeker risico's aan verbonden. Maar daarom had hij juist zo'n bewondering voor Joline.

Zoals altijd stond de deur open. Het was rustig in het gebouw, de meesten zwierven nu op straat. Pas tegen de avond zou het weer druk worden.

Hij vond Joline in de ruime keuken. Ze dronk koffie met een van de andere vrijwilligers en met een man met een donkere baard, vermoedelijk een van de daklozen.

„Hé, Simon, dat is lang geleden." Ze liep hem tegemoet en kuste hem op beide wangen. Door haar slordige kleding en het nonchalant opgestoken haar zag ze er jong uit.

„Wil je ook koffie?"

„Heb je ook thee?"

„Natuurlijk." Ze keek hem even nieuwsgierig aan, maar gaf verder geen commentaar. Zij zou hem niet doorzagen met allerlei vragen over waarom hij geen koffie wilde.

„Dit is Maarten," zei ze toen de man met de baard opstond en hem een hand gaf.

„Ik denk niet dat jij een van haar verdoolde schapen bent," zei de man. Zijn uitspraak was uiterst beschaafd en zoals vaker vroeg Simon zich af hoe zo iemand in zo'n situatie verzeild was geraakt. Maar inmiddels wist hij, vooral door Joline, dat lang niet alle daklozen uit een sociaal zwak milieu kwamen.

„Heb je zomaar een dag vrij?" vroeg zijn schoon-zusje nu.

„Ik ga straks naar het hotel. Ze kunnen heus wel een tijdje zonder mij."

Ze keek hem opmerkzaam aan en hij vroeg zich af of zijn laatste opmerking verongelijkt had geklonken. Even kwam het in hem op Joline te vertellen wat er gebeurd was. Volgens Paula was ze wereldvreemd, maar hij had de indruk dat zij veel meer afwist van menselijke verhoudingen dan zijn vrouw.

Joline zette een glas thee voor hem neer en schonk voor de anderen nog eens koffie in. De man dronk zijn kop snel leeg en stond op. „Ik ga maar eens een beet-je rondlopen. Kan ik hier vanavond weer terecht?"

„Ik zal een bed voor je vrijhouden," zei Joline vrien-delijk.

De man knikte hen toe en verliet het vertrek.

„Is dat een nieuwkomer?" vroeg Simon.

„Klinkt dat niet een tikje neerbuigend?" was Jolines wedervraag.

„Sorry, dat was zeker niet de bedoeling. Wie weet kom ik hier ook nog eens terecht."

„Dat lijkt me zeer onwaarschijnlijk. Wat is er, Simon? Zit je in de problemen?"

„Er is niets wat ik niet zelf kan oplossen," zei hij afwerend.

„Mooi." Joline was geen type dat zou aandringen.

„Hoe is het met mijn zus? Nog altijd bedrijvig met niets? Sorry, dat is niet aardig. Zou ik soms jaloers op haar zijn?"

„Jaloers? Jij? Waarom?"

„Simon, ze heeft een comfortabel huis, geld genoeg en daarbij nog een lieve man en een prachtzoon. Ik heb niets van dat alles."

„Ik vraag me af of jij dat ooit wel hebt gewild," zei Simon, haar aandachtig opnemend. Hij dacht aan wat Paula altijd zei: als ze toch eens wat meer zorg aan zichzelf besteedde, dan zou ze er best leuk uitzien.

„Word ik gekeurd?" vroeg Joline nu. Hij schoot in de lach. Ondanks haar vriendelijke uiterlijk kon ze soms behoorlijk scherp zijn. Ze had natuurlijk in de loop der jaren wel geleerd voor zichzelf op te komen. Neem alleen maar de eindeloze strijd die ze had moeten voeren voor ze uiteindelijk de beschikking kregen over dit huis.

„Ik ga maar weer eens, Joline. Als je geld nodig hebt, weet je dat ik je zo kan helpen. Het is je eigen geld."

„Ja. Maar weet je nog dat mijn vader indertijd zei dat het niet besteed mocht worden aan onzinprojecten?"

„Zo zou ik dit hier toch zeker niet willen noemen. En jij ook niet, neem ik aan. Kom binnenkort eens bij ons eten," zei hij opstaand.

„Goed. Bel me maar een keer voor een afspraak."

„Eet je meestal hier mee?"

„Soms. Maar er zijn anderen die koken. Ik vang de mensen 's avonds op en zorg 's morgens voor het ontbijt. Wat vond je van Maarten?"

„Maarten?"

„De man die net wegging."

„Hij leek me wel een prettig iemand. Maar in zo korte tijd kan ik dat niet beoordelen. Waarom vraag je dat? Twijfel je eraan of hij hier past?"

Ze beet op haar lip, wond tegelijkertijd een lok van het donkere haar om haar vinger. Zo leek ze een jong meisje. „Ik weet het niet. Hij past niet zo bij de anderen. Maar eigenlijk is dat onzin. Een mens kan altijd dakloos worden. Sommige mensen kiezen ervoor om te gaan zwerven."

„Je bent toch wel voorzichtig met wie je opneemt?" zei Simon bezorgd.

Ze glimlachte. „Ik heb nooit problemen."

Simon zei niets. Hij had weleens anders gehoord. Een dronken man die haar een keer een blauw oog had geslagen. Een vrouw die geld en wat kledingstukken had gestolen. „Zij heeft het waarschijnlijk meer nodig dan ik," had Joline laconiek opgemerkt. Het was overdreven te denken dat ze gevaarlijk werk deed. Maar toch, veel van deze mensen leefden aan de rand van de maatschappij. Hun normbesef was vervaagd. De grens tussen goed en slecht was voor hen niet meer zo duidelijk.

Even later verliet Simon het huis en vond de man die

Maarten werd genoemd op een bank in de tuin. „Zou het bezwaarlijk zijn als ik hier even blijf zitten?" vroeg hij Simon, die zo langs hem heen wilde lopen.

„Dat denk ik niet. Het lijkt mij alleen niet zo aangenaam. Het is pas januari."

„Als ik niets onaangenamers meer meemaak in mijn leven, hoor je mij niet klagen."

Simon knikte en liep door. Waarom zwierf zo'n man op straat? Zijn kleding was netjes, zijn handen waren goed verzorgd. Hij leefde vast nog niet lang op straat. Hoe kwam een mens ertoe?

Stel nu eens dat Paula hem niet meer in huis wilde hebben, omdat ze dacht dat hij een verhouding had. Zou hij dan gaan zwerven? Hij had altijd nog het hotel waar hij terecht kon. En zijn zoon bewoonde een ruim appartement. Nee, het zou wel even duren voor hij bij Joline terechtkwam. Zijn gedachten maakten nu toch wel rare sprongen.

Hoe dan ook, hij ging nu eerst bloemen kopen voor Feline. Het was niet meer dan normaal dat hij de jonge vrouw die hem verzorgd had toen hij ziek was, een attentie bezorgde. Het werd een bos van vijfentwintig rode en witte rozen. Toen de bloemist vroeg of ze bezorgd moesten worden schudde hij het hoofd. Hij zou ze zelf afgeven. Eerst ging hij naar zijn hotel. En dan, halverwege de middag, als de school uit was, zou hij bij haar langsgaan.

Hij voelde zich de hele dag onrustig. De tijd schoot niet op. Hij had de bloemen in de toiletruimte in een emmer water gezet, en natuurlijk kwam Andrea met de opmerking: „Weet je dat er prachtige rozen in de toiletruimte staan?"

„Dat weet ik," antwoordde hij kortaf.

„Nou, je vrouw mag niet klagen. Is ze jarig?"

Hij keek haar aan en ze kreeg een kleur. Hij antwoordde echter niet, met als gevolg dat Andrea terecht dacht dat ze voor iemand anders waren. En dat zou ze toch nooit hebben gedacht van Simon. Hij leek altijd zo verlegen. Ze kon het zich niet voorstellen. Zou hij een vriendin hebben? In elk geval zou ze er voorlopig over zwijgen. Een bos bloemen zei ook niet alles. Hoewel, rozen, dat was toch iets anders. Rozen hadden een speciale betekenis in haar ogen.

Casper kwam juist aanlopen toen zijn vader met de bos rozen naar buiten kwam. Achteraf begreep hij niet waarom hij achter een auto bleef staan. Misschien kwam het door de bloemen die zijn vader een beetje onhandig vasthield.

Hij had Simon nog maar zelden met bloemen gezien en hij had zomaar het idee dat deze niet voor zijn moeder bestemd waren. Aan de andere kant had zijn vader misschien wel iets goed te maken.

Casper wist heel goed dat hij hier helemaal niets mee te maken had. Hij was het huis uit en zijn ouders waren hem geen verantwoording schuldig. Hij voelde zich natuurlijk wel bij hen betrokken. Zijn vader kon weleens een beetje onhandig zijn in het omgaan met mensen. Hij wilde niet dat Simon werd uitgelachen en Casper had het idee dat hij hem moest beschermen. Dat was de reden dat hij in zijn auto stapte en zijn vader achterna ging.

Dat pa in elk geval niet op weg was naar huis was hem al direct duidelijk. Wat had zijn vader in deze tamelijk troosteloze buurt te zoeken? De gebouwen zagen er redelijk onderhouden uit, maar niemand was op het idee gekomen om hier en daar een boom te planten of wat groenstroken aan te leggen.

Zijn vader parkeerde zijn auto in een van de vakken, stapte uit en ging het gebouw binnen, om even later weer terug te komen voor de bloemen. Casper had even gedacht dat ze mogelijk toch voor zijn moeder waren bestemd. Nee dus! Casper parkeerde zijn auto eveneens en vroeg zich af wat hij moest doen. Hij kon hier moeilijk blijven wachten. Wat wilde hij? Simon ter verantwoording roepen? Dat kon hij niet doen.

Op dat moment werd er op het raampje van zijn auto getikt. Een jonge vrouw met kort donker haar en een boze blik gebaarde dat ze iets wilde zeggen. Hij draaide het raampje naar beneden. „U staat op mijn plaats," zei het meisje duidelijk geïrriteerd.

„Wat krijgen we nou? Zijn deze parkeerplaatsen niet vrij?"

„De parkeerplaatsen zijn van de bewoners. Wij betalen ervoor. Hebt u het bord niet gezien?" Hij zag haar irritatie toenemen en had ineens zin haar dwars te zitten.

„En als ik hier nu eens blijf staan?"

„Het gaat regenen," zei ze.

Verbaasd keek hij haar aan.

„Je zult je ruitenwissers nodig hebben." Met een snelle greep trok ze ze los en stond ermee in haar hand. „Als je van plan bent hier te blijven staan, zul je ze niet nodig hebben."

Casper opende het portier en stapte uit.

„Geef hier," zei hij woedend.

„Als je mijn plaats vrijmaakt," zei ze uitdagend.

„Goed, ik ga al. Treed je altijd zo resoluut op?"

„Ik kom zelden iemand tegen die zich zo lomp gedraagt."

Ze legde de ruitenwissers op de motorkap en liep naar haar eigen auto. Hij zag het kind in de auto en riep: „Aha, jij bent zo'n werkende moeder, die alle frustraties van een overbelast leven moet afreageren."

Ze reageerde niet en Casper wist niet anders te doen dan de parkeerplaats vrij te maken. Hij bleef wachten tot ze was uitgestapt. Met het kind aan de hand ging ze hetzelfde gebouw binnen als zijn vader even geleden. Misschien was zij wel degene die vandaag bloemen kreeg. Eigenlijk leek het hem onmogelijk dat zijn vader een dergelijk type aardig zou vinden. Ze had hem toch ook vriendelijk kunnen vragen of hij weg wilde gaan, in plaats van direct tot actie over te gaan. Zijn ruitenwissers verwijderen, hoe kwam ze op het idee? Het incident hield Casper nog geruime tijd bezig. De gedachte aan zijn vader en de bloemen raakte daardoor wat op de achtergrond.

3

Simon stond voor haar deur toen ze uit de lift stapte. „Hallo. Alles goed?" zei ze ongedwongen.

„Ik vind dat je wel een bloemetje hebt verdiend," zei Simon onbeholpen.

„Ach, wat zijn ze mooi. Kom even binnen."

Simon dacht dat het onbeleefd zou zijn te weigeren en liep met haar mee.

„Heb je lang gewacht?" vroeg ze, terwijl ze Heidi van haar jas ontdeed.

„Ik weet wel zo'n beetje wanneer de school uitgaat. Dat is in al die jaren niet veranderd."

„Je hebt geluk dat ik vandaag geen vergadering heb. Wil je koffie, of ben je daar nog niet aan toe?"

„Ik denk dat het nu wel kan," zei hij aarzelend.

„Dat denk ik ook wel," antwoordde ze opgewekt. Het kleine meisje kwam bij hem staan en keek hem ernstig aan. Simon werd er verlegen van. Met kinderen van die leeftijd had hij nooit iets te maken.

„Waarom geef jij mijn mama bloemen?" vroeg ze.

„Omdat ik haar aardig vind."

Het kind knikte, ten teken dat ze het daar wel mee eens was.

„Heb jij nog geen kleinkinderen?" vroeg Feline toen ze binnenkwam en de kopjes klaarzette.

„Nee," antwoordde hij tamelijk kortaf. Duidelijker kon ze toch niet zijn. Ze vond hem een opa. Begrijpelijk misschien, hoewel hij zelf helemaal niet het gevoel had dat het al zover was in zijn leven.

„Casper heeft al diverse vriendinnetjes gehad, maar

geen enkele relatie was zo serieus dat er over trouwen werd gedacht," zei hij toen.

„Ze hoeven niet te trouwen," zei ze luchtig.

„Nou, dat hoop ik toch wel. Ik vind al dat losse gescharrel maar niks." Na deze opmerking zal ze me zeker een ouwe heer vinden, dacht hij. Maar hij wilde zichzelf toch geen geweld aandoen door zich veel jonger en moderner voor te doen dan hij was.

„Ik ben indertijd ook niet getrouwd. Veroordeel je dat?" vroeg Feline dan.

„Ik veroordeel het niet. Maar ik zou het wel jammer vinden als Casper zo'n vrijblijvende relatie aanging. Overigens verbeeld ik me niet dat hij naar zijn vader zal luisteren."

„Ik ben nu blij dat Benno en ik niet getrouwd waren. Het was veel gemakkelijker om uit elkaar te gaan." Even daarna zei ze: „Jij bent zeker christelijk." Ze vroeg het onbevangen en het kostte hem ook geen moeite deze vraag bevestigend te beantwoorden.

„Hoewel ik maar af en toe in de kerk kom," zwakte hij een en ander wat af. „Mijn vrouw is daar veel trouwer in."

„En dat geeft geen problemen tussen jullie?"

„Nee, eigenlijk niet." Paula is heel tolerant, dacht hij met iets van waardering.

Even later schikte Feline de rozen in een glazen vaas en zette deze op een laag tafeltje in een hoek van de kamer. „Mooi hè? Een lichtpuntje in deze kamer."

„Nou, het belangrijkste lichtpuntje ben jij," hoorde Simon zichzelf zeggen.

Ze glimlachte. „Dat is aardig gezegd. Ik krijg zelden een complimentje, dus ik waardeer het zeker."

Simon kwam weer een beetje met beide benen op de grond, blij dat ze dit zo luchtig opvatte. Hij was gewoon aan het flirten en het vreemde was dat het hem heel gemakkelijk afging. Hij dronk zijn koffie, accepteerde een tweede kopje, maar wist dat hij zijn bezoekje niet langer kon rekken.

„Ik moet weer eens gaan," zei hij even later met een lichte zucht. Ze sprak hem niet tegen en hij stond op. „Zou jij…" begon hij.

Ze keek hem vragend aan.

„Mag ik nog eens langskomen?" waagde hij dan.

„Als je dat graag wilt."

„Ja. Maar jij… misschien wil je liever niet…" Hij raakte hopeloos verstrikt in zijn woorden en zweeg.

„Simon, ik vind het heus gezellig als je af en toe eens komt koffiedrinken. Maak het niet zo ingewikkeld. Ik ben een alleenstaande moeder, ik ben meestal thuis. Familie heb ik nauwelijks. Ik voel me soms best alleen en heb het gevoel dat jij ook eenzaam bent.

Misschien kunnen we eens samen gaan eten of met Heidi ergens heen. We hoeven niet krampachtig te doen. We kunnen vriendschappelijk met elkaar omgaan. Niemand zal er iets achter zoeken. Je kon mijn vader zijn."

Het was gezegd. „Zo is het," zei Simon, dapper alle andere gevoelens uitschakelend. „Daarom, als er iets is, kun je mij altijd bellen."

Hij wist dat hij nu moest gaan en het werd dan ook een snelle aftocht. Hij hoefde zich niet teleurgesteld te voelen. Feline was volkomen eerlijk geweest. Wat had hij dan gewild? Dat ze had gezegd verliefd op hem te zijn? Nee, dat niet, maar ze had alle eventuele gedachten in die richting wel radicaal afgekapt. Hij was natuurlijk ook veel te oud voor haar. Misschien zag ze in hem alleen een opa voor haar kind. Wilde hij dat? Nee, wist hij heel zeker. Hij wilde meer. Hij kende deze jonge vrouw nu vier dagen en ze was geen moment uit zijn gedachten.

Hij had gehoopt... ja, wat eigenlijk? Wat zou hij ermee aan moeten als deze jonge vrouw verliefd op hem werd? Hij dacht gewoon niet aan de consequenties. Het moest nu maar eens afgelopen zijn met dat dromen. Hij stopte bij een bloemenstal en kocht enkele bossen narcissen. Eenvoudige bloemen vergeleken bij de rozen. Maar Paula zou toch al stomverbaasd zijn. Hij gaf haar nooit bloemen.

Simon is hard op weg om verliefd op mij te worden, dacht Feline. Zij vond hem ook heel aardig, maar van verliefdheid was geen sprake. Als ze bepaalde gevoelens voor hem kreeg, zou ze die negeren. Hij was veel te oud voor haar. Bovendien was hij getrouwd. Maar hij was zeker een aantrekkelijke man en als hij twintig jaar jonger was, wie weet. Leeftijd mocht nooit een reden zijn, zei men soms. Maar ze zou aan de gevoelens die Simon duidelijk voor haar had geen aandacht schenken. Aan de andere kant, als ze hem al te bot afwees zag ze hem misschien nooit weer. Dat zou ze toch jammer vinden. Haar blik ging naar de rozen. Het was jaren geleden dat ze van iemand bloemen had gekregen. Ze keek naar Heidi die een tekening maakte voor haar juf die morgen jarig was. Ook voor haar dochter zou het goed zijn als er af en toe een man in huis was. Zelfs al zag ze hem als opa. Simon vond dat niet prettig, dat had ze wel gemerkt. Een beetje ijdel was hij wel. Stak er kwaad in als ze bijvoorbeeld eens gedrieën naar een dierentuin gingen? Als Simon dat zou willen? Want nogmaals, hij was getrouwd. Ze betwijfelde of het een gelukkige verbintenis was, maar die zou er in elk geval niet beter op worden als Simon haar bezoekjes bleef brengen. Ze stond voor het raam en keek de saaie straat in. Ze wist waar Simon woonde, dat had hij verteld. Een vrijstaande bungalow in een groene wijk. Dat maakte blijkbaar ook niet gelukkig. Ze wist wel zeker dat hij terug zou komen. En ze zou hem niet buiten laten staan.

Paula was in de keuken bezig en keek werkelijk stomverbaasd toen hij haar de bloemen overhandigde. „Waar heb ik dat aan te danken?"

„Zomaar. Ik zag ze en dacht: de eerste lenteboden. Jij hebt het zo druk met allerlei vrijwilligerswerk, mogelijk was het je nog niet opgevallen dat het voorjaar wordt."

„Wat een onzin. Maar goed, toch bedankt. Koffie?"

„Nee, liever iets anders, doe maar thee."

„Ben je toch nog niet helemaal fit?"

„Jawel, maar met koffie ben ik wat voorzichtig."

Ze zocht een bloemenvaas en keek er even later van een afstandje naar. „Mooi," zei ze, hem even met een glimlach aankijkend.

„Wacht eens even. Ik zie iets aan je," zei Simon. Zijn blik gleed over haar heen. Nog altijd slank. De haren kort en blond, goed geknipt. Zodat ieder haartje keurig op zijn plaats blijft, dacht hij. Haar ogen, grijsblauw en... „Je hebt een nieuwe bril..."

Ze lachte even, toonde haar regelmatige gebit. „Ja Simon, die heb ik al twee weken."

Ze verdween in de keuken en Simon vroeg zich af of hij zijn vrouw al twee weken niet bewust had aangekeken.

Maar ze had het toch ook gewoon kunnen vragen: wat vind je van mijn nieuwe bril? Hij zag zoiets nu eenmaal niet. Zo was het ook met kleren. Hij moest er met zijn neus bovenop gedrukt worden. Toch herinnerde hij zich feilloos dat Feline op haar spijkerbroek een gestreepte blouse had gedragen met daarover een leren vest. Hij had tegen Feline gezegd dat ze een lichtpuntje was. Een dergelijke opmerking had hij tegen Paula nog nooit gemaakt. Stel je voor dat hij haar iets dergelijks nu zou zeggen. Hij voelde zich al bij voorbaat ongemakkelijk als hij aan haar reactie dacht. Toch ziet ze er ook goed uit, dacht hij toen ze even later met de thee binnenkwam. Had hij werkelijk met de gedachte gespeeld zijn huwelijk op te geven, aangenomen dat Feline iets in hem zag? Niet echt, vertelde hij zichzelf. Het was zomaar een beetje dromen.

„We zouden dit jaar weer eens met vakantie kunnen gaan," stelde hij dan voor.

„Hoe kom je daar ineens op? Het is jaren geleden."

„Daarom juist."

„Bedoel je met een busreis?"

„Nee, gewoon, wij samen."

„Dat meen je niet. Onze interesses liggen zo ver uit elkaar. Daar zijn we in het verleden ook vaak tegenaan gelopen."

„Misschien zijn we veranderd," opperde Simon zachtmoedig.

„Je gelooft het zelf niet. Maar als je een busreis wilt boeken, ga ik wel mee."

Simon moest er niet aan denken. Een bus vol mensen die hij niet kende. Paula zou zich al snel bij anderen aansluiten en hij zou dan voortdurend aardig moeten zijn. Hij was niet echt sociaal, daarin had Paula wel een beetje gelijk. Eigenlijk was hij best saai en Feline zou daar vast niet anders over denken. Hij pakte de krant en hield zich 'doof en blind' voor de wereld, zoals Paula soms zei. Zij was er intussen aan gewend.

Diezelfde avond kwam Casper langs. „Soms zie ik je weken niet en nu ineens twee dagen achter elkaar," verwonderde Paula zich. Om er haastig aan toe te voegen: „Je bent natuurlijk van harte welkom."

„Ik was toch in de buurt," beweerde Casper met een blik op zijn vader. „Ik had jullie eigenlijk niet thuis verwacht. Er is toch die receptie bij Van Doorn."

Paula knikte. „Ik heb het maar laten gaan. Je vader is nog niet helemaal fit."

„Dat valt wel mee," protesteerde Simon. „Dat ik liever thuisblijf, is een ander verhaal."

„Je hebt daar een flinke bos narcissen," zei Casper dan tegen zijn moeder.

„Ja, van je vader gekregen."

„Echt waar?"

Simon begon zich wat ongemakkelijk te voelen.

„Zo bijzonder is dat toch niet?"

„Voor jou wel. Hoewel een grote bos rozen meer zegt."

„Casper, die zijn om deze tijd niet te betalen," sputterde Paula. „Ik ben niet jarig."

„Op het moment zijn er geen meisjes die ik bloemen

geef, dus ik weet niets van prijzen. Ja mam, graag koffie."

Hij weet het, dacht Simon. Hoe kan dat? Hij moest hem hebben gezien met de rozen. Kwam hij naar huis om hem ter verantwoording te roepen?

Dat was Casper niet van plan. Daarvoor wist hij te weinig. Hij merkte wel dat zijn vader niet op zijn gemak was. Maar hij kon hem moeilijk een soort verhoor afnemen.

„Ik ben bij Joline geweest," zei Simon dan.

„O ja? Wat was de reden?" vroeg Paula.

„Daar heb ik toch geen reden voor nodig. Ze is mijn schoonzuster."

„Vond ze het niet vreemd dat je kwam?"

„Dat is me niet opgevallen. Ik heb haar gevraagd binnenkort eens te komen eten."

„Pa gaat nu eenmaal liever met gewone mensen om dan dat hij naar een receptie gaat," zei Casper met kennis van zaken. „Zelf wilde ik Joline eens polsen of ze iets voelt voor een interview. Dan kan ik wat foto's nemen."

„Om meer bekendheid aan dat huis te geven hoef je het niet te doen. Het zit daar altijd vol," zei Simon.

„Misschien dat we op die manier wat meer subsidie van de gemeente kunnen lospeuteren. Ze doet tenslotte goed werk. Veel van die mensen moeten anders de nacht buiten doorbrengen en hebben soms nauwelijks te eten."

„Je moet niet vergeten dat de meesten van die mensen daar zelf voor kiezen," zei Paula scherp. „Ik zou mijn energie liever besteden aan mensen waar nog iets van terechtkomt."

„Dat doe je al, ma. Het project dat je opzette voor alleenstaande moeders is daar een voorbeeld van. Loopt dat inmiddels een beetje?"

„Matig. Er zijn niet zoveel van dergelijke probleemgevallen bij ons in de kerk."

„Gaat het alleen om kerkmensen, Paula?" vroeg Simon, terwijl hij het antwoord al wist.

„In elk geval, zij in de eerste plaats. Je moet eerst zorgen voor de huisgenoten des geloofs, dat staat in de bijbel."

„Gelukkig zorgt je zus voor de verschoppelingen der aarde," zei Simon, die zich ineens weer mateloos aan zijn vrouw ergerde. Ze keek werkelijk niet verder dan haar eigen kleine wereldje.

Later liet hij Casper uit. „Kunnen we je morgen weer verwachten?" zei hij in een poging tot een grapje.

„Ik denk het niet. Voor moeder zou ik geen rozen kopen, pa. Het is aan haar niet besteed," zei Casper, waarna hij na een korte groet het huis verliet.

Simon keek hem even na. Het was wel zeker dat Casper hem had gezien met zijn rozen. De vraag was of hij ook wist waar hij de bloemen had afgeleverd. Maar zelfs al wist hij dat, hij zou toch niet zo bot zijn Feline op te zoeken. Even wenste hij dat Casper voor een tijdje naar het buitenland vertrok, maar hij schaamde zich gelijk voor die gedachte. In de tijd dat Casper naast zijn werk als fotograaf ook nog journalistiek werk deed, hadden hij en Paula zich vaak genoeg zorgen gemaakt als Casper in een oorlogsgebied zat. In Israël of in Irak. Gebieden die nooit echt veilig waren. En nu zou hij willen... Nee, niet echt. Hij wenste alleen niet onder de controle te staan van zijn zoon. Trouwens Casper deed dit werk al een aantal jaren niet meer. Maar goed, er viel nu niets meer te controleren. Hij zou Feline waarschijnlijk nooit meer zien.

Enige weken gingen voorbij. Weken waarin Simon vaak aan Feline dacht. Waarin hij soms een gevecht met zichzelf leverde om niet bij haar langs te gaan of op te bellen. Wel was hij enkele malen langs de school gereden. Hij had haar één keer vanuit de verte gezien.

En toen op een zaterdagmorgen belde ze zelf. Simon was in de tuin bezig, hoewel er nu in februari nog niet veel te doen was. Maar hij genoot ervan te zien hoe veel al begon uit te lopen. De krokussen bloeiden, de narcissen stonden volop in knop. Ze gingen de betere tijd weer tegemoet. Hij liep net te denken dat Paula nooit meer op zijn voorstel om met vakantie te gaan was teruggekomen. Blijkbaar had ze die opmerking niet echt serieus genomen. Aan een kant was hij er blij om. Samen met Paula met vakantie, och, ze hadden elkaar zo weinig te zeggen. Hij schrok van die gedachte, maar hij was er inmiddels achter dat ze meer naast elkaar leefden dan met elkaar. Toen zijn mobiel het vriendelijke toontje liet horen, meldde hij zich kortaf met: „Simon," denkend dat het iemand uit het hotel was.

„Ja, met Feline."

Simon keek om zich heen, liep dan wat verder de tuin in en ging zitten op de bank die bij de vijver stond.

„Feline, wat fijn je te horen," zei hij uit de grond van zijn hart.

„Simon, ik moet je om hulp vragen. Ik word

bedreigd door mijn ex-vriend. Hij heeft vandaag al tweemaal aangebeld. Ik kon hem buiten de deur houden, maar ik ben bang dat hij vanavond opnieuw komt. Hij gaat op zaterdag altijd stappen en drinkt dan te veel. Ik ben echt bang."

„Vraag je mij of ik vanavond naar je toe kom?" vroeg Simon.

„Ja, eigenlijk wel. Maar ik besef dat ik te veel vraag. Ik heb echter niemand anders. Misschien kun je het je vrouw gewoon uitleggen. Je kunt haar ook meebrengen."

„Ik zal zien wat ik doen kan."

„Ja, maar... Kom je...?"

Er was een klank in haar stem die hem alarmeerde. Ze was echt bang. Hij zou het zichzelf nooit vergeven als haar iets overkwam. „Ik kom. Rond negen uur, is dat goed? Eerder zal hij waarschijnlijk toch niet komen."

„Nee. Waarschijnlijk later."

„Goed. Doe de deur voor niemand open, behalve voor mij. Tot vanavond." Simon verbrak de verbinding en besefte dat hij nu goed in de problemen zat. Het zou verstandig zijn als hij Paula inlichtte. Ze zou vast wel met hem meegaan als hij haar dat vroeg. Maar hij wilde haar niet mee hebben. Ze kende hem te goed. Paula zou onmiddellijk doorhebben dat het meisje hem van zijn stuk bracht. Hij had alleen haar stem nog maar gehoord en zijn hart bonsde of het uit zijn borst zou springen. Wat moest hij tegen Paula zeggen? De waarheid was onmogelijk. Maar hij zou toch een verklaring moeten geven als hij in de avond vertrok en pas heel laat thuiskwam. Hij zou kunnen zeggen dat er problemen waren in het hotel. Maar hoewel Paula zich nauwelijks met zijn werk bemoeide, zou ze toch willen weten wat er aan de hand was. Dan zou hij iets moeten verzinnen. Hij zou moeten liegen en dat vond hij toch een stap te ver. Simon zat er vreselijk mee in zijn maag, maar Feline afbellen kwam niet in hem op. De oplossing deed zich tijdens het eten voor. Paula werd gebeld of ze die avond wilde oppassen bij een mevrouw die dementerend was. Haar dochter was plotseling verhinderd door ziekte van een kind. Paula zei direct ja, maar verontschuldigde zich tegenover Simon die dan de hele avond alleen zat. Deze liet zijn opluchting niet blijken, hij zei alleen: „Ze moeten jou weer hebben."

„Ik kon moeilijk weigeren. Er zijn niet zoveel mensen die op zaterdagavond beschikbaar zijn," zei ze.

„Misschien ga ik nog even naar Henk. Hij heeft al enkele malen gevraagd of ik een borrel bij hem kom drinken." Dat was de waarheid. Henk was ober in het hotel en woonde alleen. „Zo doen we alle twee een padvindersdaad," zei hij nog.

„Het geeft voldoening iets voor een ander te doen," antwoordde Paula. Dit vond Simon nu weer erg belerend klinken en hij zweeg. Hij besefte echter wel dat hij ook bij Henk langs zou moeten. In welk net van smoesjes en leugens raakte hij zo langzamerhand verstrikt?

Paula vertrok die avond al om zeven uur en Simon besloot eerst Henk te bellen. Voorzover hij wist had deze vanavond geen dienst. Hij beweerde dat hij altijd alleen zat, maar Simon wilde het risico niet nemen dat hij toch bezoek had.

Henk reageerde in eerste instantie nogal verbaasd, maar even later duidelijk verheugd. „Je kunt Paula gerust meebrengen," zei hij.

„Paula heeft ook een afspraak," antwoordde Simon. Hij beloofde over een halfuur bij hem te zijn. Hij hoopte maar dat Henk genoegen nam met anderhalf uur in het begin van de avond.

Als hij vertelde dat hij nog ergens heen moest, had hij het zoveelste probleem.

„Man, ik wist niet wat ik hoorde," waren Henks eerste woorden toen hij Simon binnenliet.

„We hebben het er toch weleens over gehad," zei Simon, die wilde dat de ander zich minder dankbaar gedroeg.

Gelukkig wist hij niet dat hij alleen als dekmantel diende.

Het was een echte vrijgezellenkamer, dacht Simon rondkijkend. Sober gemeubileerd, geen planten of andere losse spullen. Alles had een functie, er stond geen enkel meubelstuk te veel. Het enige opvallende was een modern plat televisiescherm.

„Daar heb ik wel even over moeten nadenken," zei Henk, toen hij Simons blik volgde.

„Je hebt er vast veel plezier van."

„Zeker. Maar ik werk natuurlijk regelmatig in de avond. Wil je koffie?"

Simon weigerde, zoals de laatste dagen nogal eens was voorgekomen. Hij had zo langzamerhand het gevoel dat iedereen met koffie achter hem aan liep.

„Koffie met cognac, dacht ik," zei Henk, duidelijk

teleurgesteld.

„Nou, goed dan," gaf Simon toe. „Maar ik moet nog rijden."

„Dat kleine eindje."

„Ik moet nog iemand bezoeken vanavond."

Henk knikte alleen en Simon meende te begrijpen dat het hem allemaal een beetje tegenviel. Wat had hij dan verwacht? Dat hij hier tot middernacht zou zitten? Waar moest hij over praten al die tijd? Zoiets zou Paula veel meer zijn toevertrouwd, dacht hij. Onder de koffie vroeg hij of Henk helemaal geen familie had. Toen kwam er een verhaal over een vader die gokverslaafd was en een moeder die probeerde wat bij te verdienen, wat moeilijk was, omdat ze vaak ziek was.

Simon kreeg een verhaal te horen over armoede en ziekte en een moeilijke schooltijd. „Ben je enig kind?" vroeg Simon.

„Ik had nog twee broers, maar we kregen ruzie over de verzorging van moeder en hen zie ik nooit meer. Achteraf is gebleken dat mijn ouders best wat geld hadden, geërfd van hun ouders. Ik neem het hun kwalijk dat ze ons zo in armoede lieten leven."

„Maar nu gaat het gelukkig beter met je," zei Simon, die hoopte eens wat positiefs te horen. „Of word je te laag betaald?"

„Ik kan me prima redden," zei de ander afwerend.

Simon besloot op hetzelfde moment eens na te kijken wat Henk verdiende. Mogelijk kon er iets aan dat salaris worden gedaan. Het was waarschijnlijk al enkele jaren hetzelfde. Misschien kon er gepraat worden over een loonsverhoging. Ik weet te weinig van mijn personeel, dacht hij. Alleen hun naam en of ze hun werk goed deden. En dat laatste was bij Henk prima in orde. „Heb je geen vriendin?" vroeg hij dan. Toen hij de blik van Henk zag begreep hij dat dit de verkeerde vraag was. „Ik heb niets met meisjes," antwoordde de jongeman strak.

Dat had ik natuurlijk moeten weten, dacht Simon. „Een vriend?" vroeg hij na een korte aarzeling. Hij zou de ander beledigen als hij dit verder negeerde.

„Op het moment heb ik geen vaste vriend," was het antwoord.

„Pas maar op," zei Simon met de gedachte aan aids.

„Ik ben op de hoogte," zei Henk stijf. Natuurlijk is hij dat, dacht Simon. Hij maakte bepaald geen beste beurt vanavond.

„Ik moet weg," schrok hij dan ineens. Het was al negen uur geweest. Feline maakte zich misschien al ongerust dat hij niet meer kwam. „Kom ook een keer bij ons koffiedrinken," zei hij nog.

Hij vond dat dit bezoek bepaald geen succes was geweest. Hij had het gevoel dat hij zich onbeholpen had gedragen.

Eenmaal in de auto bedacht hij dat Paula deze jongeman met plezier zou uitnodigen. Hij moest wel voorkomen dat Henk tegen haar zei dat hij al om negen uur was vertrokken, maar hij wilde hem ook niet in vertrouwen nemen. Als hij nu zou zeggen dat hij een bezoekje ging afleggen waarvan zijn vrouw niets wist, zou iedereen van mening zijn dat hij ergens een vriendin had.

Hij, de rechtschapen Simon, die zijn keurige vrouw bedroog, terwijl zij liefdadigheidswerk verrichtte. Alles zou snel genoeg bekend zijn. Er zou van alles worden bij verzonnen. Zijn hele manier van leven zou worden uitgeplozen. Maar waar dacht hij aan? Hij deed niets verkeerds. Hij ging alleen bij een vrouw op bezoek, die werd bedreigd door haar ex-vriend. Een vrouw die hem ook te hulp was geschoten toen hij in de problemen zat.

Hij parkeerde de auto bij het volgende flatgebouw en liep het laatste stukje terug. Voor hij het trappenhuis binnenging bleef hij even staan en keek om zich heen. Het was stil op straat. Een enkele auto reed voorbij, maar voetgangers zag je niet. Het was een vrij saaie buurt en in zijn ogen zeker geen omgeving voor Feline en haar dochter. Vroeger zou iemand als hij een dergelijke jonge vrouw in een mooi huis hebben laten wonen. Hij zou voor wat luxe hebben gezorgd, zodat ze niet op geld hoefde te kijken. En wat wilden dergelijke mannen daarvoor terug, dacht hij, terwijl hij langzaam de trap beklom. Lieve help, waar dacht hij aan? Iedere keer als hij in de buurt van dit meisje was ging zijn verstand met hem op de loop. Het moest nu maar eens afgelopen zijn. Evenals Paula zo vaak deed en evenals zijn schoonzus Joline deed, was hij nu enkel op weg om iemand te helpen. Hij drukte twee-maal op de bel en hoorde direct daarop haar stem. „Ja?"

„Ik ben het, Simon."

Ze opende de deur en hij zag de opluchting op haar gezicht.

„Het duurde wat langer dan de bedoeling was, maar ik kan het uitleggen."

„Je bent er," zei ze eenvoudig.

„Nog iemand gehoord of gezien?"

Ze schudde het hoofd. „Het kan ook zijn dat hij niet komt en dan zit jij hier voor niks."

„Ik ben er niet voor niks, als jij je daardoor wat minder angstig voelt."

„Wat ben jij een lieve man," zei ze spontaan.

Simon wist even niet waar hij kijken moest. Een lieve man! Stel je voor.

4

Even later zaten ze, toch wat onwennig, tegenover elkaar. „Vindt je vrouw het goed?" vroeg ze toen ze, deze keer zonder te vragen, voor thee had gezorgd.

„Ik heb mijn vrouw gezegd dat ik een werknemer uit het hotel ging bezoeken."

„Dat had je niet moeten doen. Ik wil niet dat je voor mij liegt."

„Dat kan wel zijn, maar je bent wel erg naïef, Feline, als je denkt dat ik mijn vrouw gewoon kan meedelen dat ik een jonge vrouw ga opzoeken, omdat ze zich bedreigd voelt. Dezelfde vrouw als die waar ik al eerder ben geweest. Ze zal zeggen dat je de politie moet inschakelen."

„Vind jij dat ook?" vroeg ze zacht.

Hij bleef haar aankijken toen hij zei: „Ik vermoed dat je wel weet dat ik hier graag kom."

„Simon, ik hoopte op vriendschap."

Hij haalde zijn schouders op. „Dat zou mooi zijn. Maar ik vrees dat het niet te realiseren is. Ik moet je bekennen dat je voortdurend in mijn gedachten bent. Je weet zelf wel dat zoiets niet bij vriendschap hoort. Stil maar, ik weet dat het onmogelijk is, ik ben veel te oud enzovoort. Maar zo ligt het nu eenmaal. Laten we dit nu verder maar laten rusten. Vertel me liever eens hoe het komt dat de vader van Heidi ineens weer is opgedoken."

Ze leek wat moeite te hebben om om te schakelen, maar Simon was blij dat hij open kaart had gespeeld.

Hij hoopte dat de spanning tussen hen zou verminderen nu ze dit wist. Het kon natuurlijk ook dat ze in verlegenheid was gebracht door hetgeen hij had gezegd.

Feline vertelde hem nu openhartig over haar relatie met Benno. „Het was ook mijn schuld dat het misliep. Ik verwachtte te veel," zei ze. „Mijn vader was toen ruim twee jaar weg. Moeder was ernstig ziek en steunde helemaal op mij. Ik zocht iemand die mijn problemen begreep en bij wie ik tegelijkertijd jong kon zijn. Ik was toen twintig en ik miste mijn vader heel erg. Maar ik was te serieus voor Benno. Hij wilde plezier maken en geen sores aan zijn hoofd. Ik begrijp dat nu beter dan toen."

„Toch raakte je zwanger," waagde Simon. „Terwijl je niet echt van hem hield, als ik je verhaal zo hoor."

„Ik was wel verliefd op hem en hij op mij. Ik wilde gewoon alle zorgen vergeten. Maar ik slikte de pil niet en Benno was slordig. Zo is het gebeurd. Ik wilde het kind houden. Ik voelde me ondanks Benno toch vaak eenzaam. Ik moet zeggen, hij haakte niet direct af. Hij kwam regelmatig op bezoek. Maar ik woonde bij mijn moeder en wij hadden geen enkele privacy. In die tijd begon hij te drinken en toen heb ik een eind aan onze relatie gemaakt. Sindsdien valt hij me soms lastig. Maar nu was het al een hele tijd geleden."

„Je bent dus bang voor hem. Bang dat hij je te na komt," constateerde Simon.

„Dat ook. Maar hij heeft het in zijn hoofd gehaald dat hij nu een tijdje Heidi bij zich wil hebben. Ik weet niet waarom, maar ineens is dat idee bij hem opgekomen."

„Je moet toch de politie inschakelen," meende

Simon. „Ik ben hier nu, maar ik kan hier niet iedere avond zijn."

„Ik hoop dat hij vandaag komt en dan zal ik zeggen…" Ze zweeg en kreeg een kleur. Simon keek haar aan en begreep het ineens.

„Je wilt zeggen dat je met mij een relatie hebt."

Ze zweeg, maar Simon hoefde geen bevestiging te horen. Was dit vanaf het begin de reden geweest dat ze hem zo vriendelijk had opgevangen? Moest hij dienen als een soort bliksemafleider? „Je begrijpt dat ik hier vannacht niet kan blijven," zei hij, en dacht erachteraan: al zou ik het wel willen.

„Ik denk niet dat hij na één uur nog komt." Simon dacht bij zichzelf dat om die tijd het nachtleven pas begon, maar hij zei het niet. Misschien was deze Benno een uitzondering.

„Hij heeft al langere tijd een vriendin en ik hoopte dat hij mij nu met rust zou laten. Maar het gaat hem om Heidi. Maar als je naar huis wilt, moet je gaan, Simon. Ik wil niet dat je om mij een heleboel herrie krijgt."

Dat zal toch wel gebeuren, dacht Simon.

De avond verliep rustig. Ze keken naar een interessante documentaire op de televisie en later zette Feline enkele cd's op. Muziek die hij af en toe ook in het hotel hoorde, maar die hem niet echt tot luisteren zette. Er is een duidelijke generatiekloof, dacht hij. Onze belevingswereld ligt zo ver uit elkaar. En toch genoot hij van dit samenzijn, al was het alleen maar om naar haar te kijken. Nadat ze opnieuw iets te drinken had ingeschonken, kwam ze naast hem zitten met een paar fotoalbums. Foto's van haar kinderjaren, maar ook van haar ouders en later van haar met Benno. Haar vader was een knappe man en hij zag dat ze de foto even aanraakte, alsof ze deze tot leven wilde wekken.

„Hij liet je moeder dus in de steek toen ze ziek werd?" veronderstelde hij.

„Moeder was nog niet echt ziek toen hij verdween. Althans, ze lag nog niet op bed, hoewel ze vaak iets mankeerde. De echte reden waarom hij wegging heb ik nooit geweten. Achteraf denk ik dat ze totaal niet bij elkaar pasten."

„Ik kan me daar zo aan ergeren. Het is tegenwoordig aan de orde van de dag. Het vonkt niet meer tussen ons. Nou, het laatste vonkje is in mijn huwelijk ook allang gedoofd."

Ze keek hem aan en voor hij het wist had hij zijn armen om haar heen geslagen.

„Daarom ben je dus hier," zei ze zacht.

„Ik heb Paula trouw beloofd in goede en kwade dagen," kreunde Simon. „En ik heb me altijd voorgehouden dat ik aan een dergelijke oppervlakkigheid niet zou meedoen."

„Je doet nog nergens aan mee," zei ze, zich voorzichtig losmakend. „Ik heb alleen vriendschap voor ogen, Simon."

„Als je een vaderfiguur zoekt, moet je niet bij mij zijn. Zo wil ik me niet gedragen."

„Maar wel als een vriend?" Hij zag in haar ogen dat het antwoord belangrijk voor haar was.

„We kunnen het proberen," antwoordde hij, maar hij dacht bij zichzelf: dit is gedoemd te mislukken. Het bleef die avond rustig. Simon stond af en toe op en keek naar beneden in de straat. Er waren weinig mensen. Hij zag een man met een hond. Twee vrouwen die in druk gesprek waren. Een jongeman die in zijn geparkeerde auto stapte. „Het is rustig in deze straat," zei hij.

„Je kunt nu wel weggaan, Simon."

„Ja, ik heb mijn vrouw wel een en ander uit te leggen. Ik hoop dat ze niet weer onze zoon heeft gewaarschuwd. Als ik mij tegenover haar moet verdedigen, is dat wel genoeg."

„Zeg toch gewoon de waarheid," zei Feline voor de tweede keer die avond.

„Dat kan echt niet," zei hij stellig. „Maar ik ga nu weg. Het is bijna half twee, Benno zal zich nu niet meer laten zien. Als er iets is, bel me dan. Ik neem mijn mobiel mee naar bed."

Ze lachte en hij was blij dat ze ontspannen leek. Ze namen afscheid met een korte omhelzing en dat leek volkomen vanzelfsprekend.

Feline keek door het raam toen hij in de auto stapte en zijn hand omhoog stak. Ze mocht hem werkelijk heel graag. Hij was dan wel wat ouder, maar hij was zulk prettig gezelschap met zijn intelligentie en begrip en de rust die hij uitstraalde. Hij stelde geen eisen en ze kon zich niet voorstellen dat ze snel iets zou beginnen met iemand die dat wel deed. Toen er werd gebeld dacht ze dat Simon iets was vergeten en opende zonder nadenken de deur.

Simon kwam een kwartier later bij zijn huis aan. Hij zag dat er in de slaapkamer nog licht brandde. Hij had wel gehoopt, maar toch niet echt gedacht dat Paula rustig zou liggen slapen. Niettemin ging hij bijna zonder gerucht te maken naar binnen en sloop zachtjes naar de badkamer. Toen hij de slaapkamer binnenkwam zat Paula rechtop in bed. Het blonde haar zat slordig en zonder bril zag ze er kwetsbaar uit. „Ben je van plan hiermee door te gaan?" vroeg ze.

„Waarmee?"

„Met mij hier doodongerust uren te laten wachten, zonder iets te laten horen?"

„Je hebt me nooit veel vrijheid gegund," antwoordde Simon. „Ik moest altijd mee naar allerlei recepties en verjaardagen. Nu neem ik wat tijd voor mezelf."

„Waar ben je geweest?" Haar stem trilde en hij wist dat ze uit alle macht probeerde redelijk te zijn. Trouwens, Paula verhief haar stem zelden. Ze deed eigenlijk nooit iets wat niet fatsoenlijk en keurig was, dacht hij geërgerd, en schaamde zich gelijk voor zichzelf. „Je weet dat ik bij Henk was," zei hij, terwijl hij naast haar schoof.

„Daar ben je geweest. Maar slechts tot even over negenen."

„Heb je mij gecontroleerd?"

„Toen het steeds later werd zag ik geen andere oplossing dan Henk te bellen. Ik kon me niet voorstellen dat je daar al die tijd was."

„Ik ben daar inderdaad tijdig weggegaan. Toen heb ik nog wat rondgereden en ergens wat gedronken."

„Was je weer niet lekker?" Deze zorgzaamheid ontroerde hem en even vond hij zichzelf een schurk.

„Ik was bij de vrouw die mij heeft opgevangen toen ik ziek werd," zei hij toch maar.

„Je hebt dus een ander."

„Nee. Ze kon mijn dochter zijn."

„Dat is geen argument, wel?"

„Ze zit in de problemen. Ze heeft mij toen geholpen en nu wil ik er voor haar zijn."

„Juist ja." Paula ging weer liggen. Simon voelde zich bijzonder ongemakkelijk. Dit had zijn vrouw niet verdiend. „Ze wordt bedreigd door haar ex-vriend. Ze was bang dat hij vanavond langs zou komen en daarom belde ze mij. Ze heeft namelijk niemand. Ze zei nog: breng je vrouw maar gerust mee."

Simon haalde diep adem, opgelucht dat wat hij nu had gezegd de waarheid was. Over zijn gevoelens hoefde hij niet uit te weiden.

„Maar je hebt mij niet gevraagd mee te gaan," bracht Paula naar voren.

„Jij moest oppassen," herinnerde hij zich bijtijds.

„Goed, de volgende keer ga ik mee. Of ze komt hierheen."

Simon zei niets. Alles goed en wel, maar Paula kende hem zo goed. Ze zou onmiddellijk weten dat zijn gevoelens niet bepaald vriendschappelijk waren. Het zou haar zeker opvallen dat zijn ogen Feline overal volgden. En als hij dat zou proberen te voorkomen zou het haar ook opvallen. Nee, hij kon Paula niet meenemen. Hij was er absoluut niet zeker van dat haar wantrouwen dan verdwenen zou zijn.

Hij sliep nauwelijks die nacht en hij wist wel zeker dat Paula ook geruime tijd wakker lag. Ze lag echter roerloos en hij waagde het niet iets te zeggen.

Toch kon hij maar het beste eerlijk zijn. Hij kon toch zeggen dat hij Feline wilde helpen, haar wat steun wilde geven. Het zat tenslotte in de familie om anderen te helpen. Paula zelf deed niet anders en haar zuster zette zich in voor zwervers en daklozen, maar hij besefte wel dat dit niet met elkaar te vergelijken was. Feline kon heel goed voor zichzelf zorgen.

Hij stond die morgen vroeg op. Paula zou wel vragen of hij meeging naar de kerk. Vandaag kon hij dat echter niet opbrengen. Paula was toch al trouwer dan hijzelf, maar ze hadden daar nooit problemen over.

Hij kwam juist uit de douche toen er aan de voordeur werd gebeld. Verbaasd bleef hij even staan luisteren. Wie kwam er nou op zondagmorgen om half acht op bezoek? Het moest een vergissing zijn. De bel ging voor de tweede keer, hij schoot zijn kamerjas aan en liep de trap af. Op de stoep stonden twee agenten. Zijn hand ging naar zijn keel.

„Is er iets met Casper?" fluisterde hij.

„Dit gaat niet over iemand die Casper heet," zei de oudste van de twee. „Mogen we binnenkomen?"

Simon deed een stap opzij en ging hun toen voor naar de kamer.

„Klopt het dat u gisteravond op bezoek was bij Feline van Maanen?" was de eerste vraag van de agenten. Simon aarzelde een moment. Gelukkig dat hij Paula had ingelicht. „Ja, ik was enige tijd bij haar," zei hij toen.

„Hoe laat bent u daar weggegaan?"

„Ja, hoe laat zal het geweest zijn? Rond één uur, dacht ik."

„Juist. Wat later werd ze bezocht door haar ex-vriend en die vond haar in elkaar geslagen op de vloer liggen. Hij heeft ons gebeld. De vrouw was buiten kennis en ligt nu in het ziekenhuis."

„In het ziekenhuis? Heeft die vent haar dus toch te grazen genomen. Wat zei u daar? Beschuldigt u mij?"

„Nog niet. Maar u hebt haar die avond bezocht. Buren konden dat beamen. Die ex van haar heeft uw autonummer genoteerd."

Simon zakte op een stoel neer met het hoofd in de handen. Was hij nu in een slechte film terechtgekomen? Hij bewoog zich niet toen Paula de kamer inkwam.

„Wat is hier aan de hand? Ingebroken in het hotel?" schoot haar dan als mogelijkheid te binnen.

„Ik vertelde je immers dat ik gisteravond bij die vrouw was." Als hij Felines naam noemde, zou het erop lijken dat hij haar echt goed kende.

Paula knikte. „Ze vroeg je te komen omdat ze bang was voor haar ex-vriend."

Op dat moment had Simon zijn vrouw wel in de armen willen sluiten. Natuurlijk, ze sprak de waarheid. Maar hij was er zeker van dat ze er niet helemaal van overtuigd was dat zijn bezoekje aan Feline zo onschuldig was. Ze had ook heel anders kunnen reageren.

„Er is ons een heel ander verhaal verteld, mevrouw." De agent zei tegen Paula nu hetzelfde als wat hij Simon had meegedeeld.

„U denkt dat mijn man haar heeft mishandeld?" Paula's verontwaardiging was oprecht.

„Wij denken voorlopig niets. Die vrouw is naar het ziekenhuis gebracht door haar ex-vriend, die ons zelf ook opbelde. Hij beweerde dat het niemand anders kon zijn geweest dan uw man."

„Waarom geloofde u hem?" vroeg Simon.

„Hij leek erg ontdaan. En als hij de dader was, waarom belde hij ons dan zelf op en bracht hij haar naar het ziekenhuis?"

Simon hief zijn handen in een machteloos gebaar omhoog. „Kan ik het meisje bezoeken? Zij weet in elk geval dat ik het niet was."

„Misschien later op de dag. We zullen u bellen en dan gaat een van ons met u mee. U was niet van plan de stad uit te gaan?"

„Nee. Ik ben ook niet van plan naar Mexico te vertrekken. Wilt u mijn paspoort?"

„Met sarcasme schieten wij niets op, meneer. Zolang we geen duidelijkheid hebben, bent u verdacht."

„Arresteer liever de echte dader. Als u uw hersens laat werken, weet u zo wie dat is," zei Simon bitter.

De man maakte nu aanstalten om te vertrekken. „Houdt u zich in elk geval beschikbaar," zei hij kortaf.

„Nog een wonder dat ze mij niet gelijk meenemen in een overvalwagen," zei Simon toen de deur achter hen was dichtgevallen.

„Je hebt hem kwaad gemaakt," zei Paula.

„Zij mij ook."

„Toen je wegging was er dus niets met haar aan de hand?"

Simon keek snel op. „Je denkt toch niet... Ik wilde je juist gaan bedanken, dat je achter mij stond."

„Wacht nog even met dat bedanken." Ze hief haar hand toen Simon iets wilde zeggen. „Je hebt jezelf wel in de problemen gewerkt. Als dat meisje echt bescherming nodig heeft, lijk jij me daarvoor niet de aangewezen persoon. Dus ze zal toch een andere steun en toeverlaat moeten zoeken."

Simon antwoordde niet. Hij maakte zich zorgen om Feline en voelde zich tegelijkertijd schuldig. Hij had haar te vroeg alleen gelaten. Of die vent had geweten dat hij er was en had gewoon gewacht tot hij vertrok. Nou, ze had niet veel aan zijn bescherming gehad.

„Als jij hier niet gewacht had, was ik bij haar gebleven," zei hij roekeloos. „Je moet een mens in nood proberen te helpen. Dat zijn je eigen woorden. En dat geldt natuurlijk niet alleen voor mensen die tot dezelfde kerk behoren."

„Ik heb de indruk dat je nu probeert je eigen straatje schoon te vegen. Over de kerk gesproken, alles wijst erop dat jij thuisblijft."

„De politie kan bellen."

„Natuurlijk. Ik ga me nu klaarmaken."

Hij luisterde naar haar snelle voetstappen op de trap. Waarom irriteerde Paula hem nu weer? Ze was zeer redelijk geweest. Misschien was het wel omdat ze zich altijd zo keurig gedroeg. Hij kreeg bij haar steeds meer het gevoel dat hij niet deugde. Terwijl hij toch alleen maar had willen helpen. Dat zijn hart op hol sloeg zodra hij Feline zag, daarvan wist Paula niets.

Om kwart voor elf ging de telefoon. Afgemeten klonk het: „Ik was deze morgen bij u. Het meisje is bijgekomen. We kunnen naar het ziekenhuis gaan. Ik kom u halen."

Even later stapte Simon in de witte politieauto. Het ontbreekt er nog maar aan dat ze me de handboeien omdoen, dacht hij nijdig.

„Heeft Feline al gezegd wie de dader is?" vroeg hij.

„Daar weet ik niets van, meneer." En als je het wel wist, zou je 't niet zeggen, dacht Simon geprikkeld.

Hij besloot verder zijn mond niet meer open te doen. Toen ze bij het ziekenhuis stopten en Simon wilde uitstappen, zei de agent: „Even wachten, meneer."

„Ben je bang dat ik de benen zal nemen?" vroeg Simon.

„Het zou niet de eerste keer zijn dat zoiets gebeurde," zei de agent rustig.

Zolang het tegendeel niet was bewezen, bleven ze hem als de schuldige zien, wist Simon.

Hij had dat vroeger altijd als zeer terecht gezien. Maar nu het hemzelf betrof vond hij dat ze de wet toch wel erg letterlijk toepasten.

In de gang bleef de agent keurig naast hem lopen. Natuurlijk zou hij ook meegaan Felines kamer binnen. Simon besloot hem verder te negeren en zag tot zijn opluchting dat Feline alleen op een kamer lag. Ze zat half rechtop tegen de kussens. Haar ogen lichtten op toen ze hem zag. „Simon, wat aardig dat je komt."

„Was het deze man die u zo heeft toegetakeld?" vroeg de agent die aan het voeteneind was blijven staan.

„Simon? Natuurlijk niet. Ik heb die andere agent ook al gezegd dat het mijn ex-vriend was. Hij kan niet hebben dat ik in Simon een vriend heb gevonden."

De agent bekeek Simon van top tot teen en Simon hoorde de man in gedachten zijn leeftijd schatten.

„Uw ex is inmiddels opgepakt. Hij blijft ontkennen, maar nu, met uw verhaal, kan hij geen kant uit, vrees ik."

„En ik? Krijg ik een schadevergoeding?" vroeg Simon.

„Kom, kom, meneer, er is u niets aangedaan. We

hebben u een paar vragen gesteld, dat is alles."

„Ik ben diep beledigd."

„Lijkt me niet nodig."

Daarna verdween de agent met een knikje uit de kamer. Simon voelde Felines hand om zijn pols toen hij aanstalten maakte om hem achterna te gaan.

„Maak je niet zo kwaad. Hij doet zijn werk."

„Kan zijn, maar hij doet het niet goed. Hoe kan hij denken dat ik jou zoiets zou aandoen?" Hij raakte voorzichtig de blauwe plek aan op haar jukbeen.

„Kwam die kerel direct nadat ik was vertrokken?"

„Tien minuten later."

„Ik had bij je moeten blijven," zuchtte Simon.

„Dan was hij niet gekomen. Hij heeft gewoon gewacht tot je weg was. Hij zal nu flink worden aangepakt, zeiden ze."

Simon zei niet dat hij daar zijn twijfels over had. Een paar weken vastzitten, een flinke boete en dan had je het wel gehad.

„Morgen mag ik naar huis," zei Feline. „Heidi is bij een buurvrouw. Niet ideaal, maar er was niemand anders." Bijna had Simon gezegd: ik zal wel op haar passen. Maar hij hield het bijtijds binnen. Dat zou Paula nooit goedvinden.

Hij ging wat dichter naar het bed toe en pakte Felines hand. „Praat er maar over," zei hij zacht.

„Ik had niet moeten opendoen, je had me nog gewaarschuwd. Maar ik dacht dat je iets was vergeten. Hij drong gelijk naar binnen en…"

„…begon je af te tuigen," vulde Simon aan.

„Hij vroeg me eerst wat mijn relatie tot jou was. Ik

zei dat ik met je bevriend ben. Dat maakte hem woedend. Hij wilde Heidi zien, maar ik weigerde. Toen gaf hij zijn eerste klap en ik mepte terug. Ik wilde mij niet zonder verweer laten afranselen. Maar hij is natuurlijk sterker. Hij bonsde zo hard met mijn hoofd op de vloer dat ik buiten kennis raakte. Toen schrok hij, denk ik, want vaag hoorde ik hem de politie bellen. Die kwamen vrij snel, samen met een ambulance. Het was toen allemaal erg onwezenlijk en vaag. Ik werd pas goed wakker toen ik hier was. Benno heeft gezegd dat hij een bezoekregeling voor Heidi wil. Ik ben zo bang dat hij zijn zin krijgt."

„Nu hij dit op zijn geweten heeft, is de kans daarop wel gedaald," meende Simon. „Hoe laat mag je morgen naar huis?" vroeg hij toen.

„Om half elf."

„Goed, ik kom je halen. Dan blijf ik bij je," zei hij roekeloos.

„Nee, Simon, dat kun je niet doen. Wat zal je vrouw daarvan zeggen?"

„Ik kan het haar uitleggen," zei Simon, die hoopte dat Paula een beetje begrip zou tonen. Aan de andere kant: als ze dit zomaar accepteerde, zou het erop lijken dat zijn doen en laten haar totaal niet interesseerde. Tot zijn eigen verbazing vond hij dat geen prettige gedachte.

Simon vertelde Paula wat er gebeurd was en hoe Feline eraantoe was. Hij zei haar ook dat hij beloofd had haar de volgende dag te helpen. Paula keek hem met gefronste wenkbrauwen aan. „Wanneer houdt dit op?"

„Zo gauw ze het weer een beetje aankan."

„Ik heb begrepen, Simon, dat deze vrouw al jaren alleen woont. Naar ik aanneem kan ze uitstekend voor zichzelf zorgen. Dan kom jij op haar pad en ineens is ze volkomen hulpeloos. Althans, zo doe jij het voorkomen. Welk spelletje spelen jullie?"

„Tegen de politie heeft ze gezegd dat ik alleen een goede vriend was," antwoordde Simon.

„Die vertrouwden de zaak dus al evenmin. Terecht, dunkt me."

„Zij zijn opgeleid om wantrouwend te zijn. Maar van jou verwacht ik na al die jaren een beetje meer begrip. Feline kan morgen niet alleen zijn. Haar dochter moet worden weggebracht en weer opgehaald. Dat kind kent mij nu een beetje."

„Toe maar. Zal ik dan maar met je meegaan?"

„Ja, doe dat maar. Dan kun je zien hoe volkomen onschuldig alles is." Paula zweeg er verder over en Simon ging er niet van uit dat zijn vrouw inderdaad zou meegaan.

De volgende dag ging hij eerst naar het hotel, waar hij als eerste Henk tegen het lijf liep.

„Het spijt me," zei deze toen hij bleef staan. „Toen je vrouw belde zei ik de waarheid. Als je had gewild dat ik jou een alibi verschafte, had je dat moeten zeggen."

„Dat was helemaal niet aan de orde, Henk. Ik leid geen dubbelleven, als je dat soms denkt. Ik ging iemand opzoeken en had mijn vrouw daarover niet ingelicht. Dat was een tekortkoming van mij."

„Ik had even de indruk dat ik als een soort dekmantel moest dienen," zei Henk stijfjes.

Terwijl Simon dit heftig ontkende, bedacht hij dat

Henk zijn bezoekje belangrijk had gevonden. Hij zou hier misschien rondvertellen dat de baas op bezoek was geweest. „Misschien kunnen wij het nog eens overdoen als ik wat meer tijd heb," zei hij.

„Graag," antwoordde Henk, terwijl zijn ogen oplichtten. Simon voelde zich hier zeer ongemakkelijk bij. Hij had immers geen plannen in die richting. In welk net van leugens en uitvluchten was hij toch verzeild geraakt?

Hij ging even later zijn kantoor binnen, waar Andrea hem onmiddellijk op een stapel post wees. „Wilt u de mails uitgeprint hebben?" vroeg ze.

„Ja, doe dat maar. Dan haal ik ze vanavond op en beantwoord ze thuis. Ik ben er vandaag niet."

„O, meneer, dat meent u niet. Er komen belangrijke gasten. Er is een tweedaags congres van wetenschappers. Daar bent u altijd bij."

„Dat moet dan maar een keer zonder mij," antwoordde hij kortaf.

Het was of er aan alle kanten aan hem werd getrokken en hij wilde alleen maar naar Feline toe. Hij wilde er zijn als ze straks thuiskwam.

„Ik weet echt niet hoe het allemaal moet," zuchtte Andrea.

„Hoor eens, als ik ziek was, zou je dit ook met de anderen moeten regelen."

„Maar u bent niet ziek," zei Andrea logisch. „En als er iets fout gaat, krijg ik de schuld."

„Er gaat niets fout. Maar ik zal wel een paar keer opbellen."

Het meisje zei niets meer en Simon wist dat ze het

absoluut niet met de gang van zaken eens was. En terecht, dat wist hij ook wel. Dergelijke belangrijke ontvangsten moesten vlekkeloos verlopen. Maar Andrea was efficiënt. Echter wel wat langzaam en snel in paniek, moest hij toegeven. Hij kon niemand vragen een oogje in het zeil te houden. Paula bemoeide zich nooit met de gang van zaken in het hotel. Hij moest er maar het beste van hopen. Zijn personeel had dit al eerder bij de hand gehad. Maar nooit zonder dat de leiding op de achtergrond aanwezig was, dacht hij onrustig. Hij moest echter nu weg. Hij had het Feline beloofd en hij wilde haar niet in de steek laten. „Henk is goed op de hoogte van de gang van zaken, we hebben deze groep al eerder gehad," zei hij nog ter geruststelling.

Andrea zei niets. Ze had het gevoel dat de verantwoordelijkheid toch op haar schouders lag. Wat mankeerde Simon om ervandoor te gaan? Er moest wel iets belangrijks aan de hand zijn. Hij was de laatste tijd toch al wat afwezig. Misschien was er iets met zijn vrouw. Andrea durfde echter niets te vragen. „U komt dus de hele dag niet terug," waagde ze nog op te merken.

Ze zag dat hij een ongeduldige blik op zijn horloge wierp. „Ik zei al dat ik zou bellen. Ik ben het land niet uit."

Ik heb zijn mobiele nummer, dacht ze. Als er iets misging zou ze hem zeker bellen.

Het is natuurlijk een mooie gedachte dat ik blijkbaar onmisbaar ben, dacht Simon toen hij eenmaal in de auto zat. Maar het was weleens goed dat ze zelf verantwoordelijkheid moesten dragen. Ze steunden te veel op hem. Hij kon nauwelijks een dag vrij nemen. Daar moet verandering in komen, vertelde hij zichzelf, zijn schuldgevoel wegduwend. Paula had ook weleens gemopperd dat ze alleen buiten het seizoen met vakantie konden en dan nog het liefst in januari. Paula had dat inmiddels wel geaccepteerd. En nu dacht hij er serieus over wat meer vrij te nemen in verband met Feline. Wat was er in hem gevaren? Terwijl hij de auto deze keer voor de flat parkeerde keek hij even om zich heen. Er was niemand te zien en eigenlijk was het een troosteloze buurt. Kon hij Feline en haar dochter maar eens verwennen met enkele dagen in een vakantiepark. Het zou voor alle twee goed zijn. Feline zou dan alle tijd hebben voor Heidi. Hij had gemerkt dat ze het niet prettig vond dat ze haar dochter elke dag moest wegbrengen. En als ze in het weekend vrij was, konden ze hier geen kant uit.

Als hij dan dacht aan zijn eigen parkachtige tuin, waar hij maar zelden gebruik van maakte.... Paula was er bij mooi weer wel te vinden en soms werkte ze in de tuin. Ze hadden ook een tuinman, dus alles was keurig onderhouden. Wat zou hij Feline graag in zijn eigen omgeving ontvangen. Hij schudde het hoofd, nijdig op zichzelf. Hij was voortdurend aan het dagdromen als de eerste de beste verliefde puber. Terwijl hij de bezoekjes aan Feline juist moest afbouwen.

Als een jonge kerel rende hij met twee treden tegelijk de trap op en belde aan. Ze deed zelf open. Toen hij haar zag in de crème-kleurige kimono, nog een beetje bleekjes, maar duidelijk blij hem te zien, vergat hij alle goede voornemens en sloot haar in zijn armen.

„Sorry dat ik zo laat ben," prevelde hij.

„Je bent er," zei ze eenvoudig.

Hij voelde dat ze zich van hem losmaakte en hij liet haar gaan. „Ik ben blij je te zien," zei hij, ineens verlegen.

Ze glimlachte. „Ik jou ook. Heidi wordt door de buurvrouw opgehaald. Ja, dezelfde die dacht dat jij dit had veroorzaakt." Ze raakte de blauwe plek onder haar oog even aan. „We kunnen dat gelijk rechtzetten, als je wilt."

„Waarom? Ik ben haar geen verantwoording schuldig. Of ben je bang dat ze gillend wegrent als ze mij ziet?"

Ze ging er niet op in en vroeg wat hij wilde drinken. „Deze keer maar koffie. Laat mij dat doen. Ga jij rustig zitten. Ik ben er zodat jij je kalm kunt houden. Een hersenschudding moet je niet verwaarlozen. Dan blijf je voor de rest van je leven met hoofdpijn zitten."

„Het was maar een lichte. Ik blijf ongeveer een week thuis en dan ga ik weer aan het werk. Dan zou ik Benno in principe weer kunnen tegenkomen."

„Ben je daar bang voor? Ze houden hem nu toch wel in de gaten?"

„Ze kunnen iemand niet vierentwintig uur in het oog houden." Ze streek haar haren achter haar oren en hij zag dat haar hand beefde.

„Hoe moet dat dan?" vroeg hij verontrust.

„Het beste zou zijn als ik ging verhuizen. Ik hoopte dat jij mij kon helpen andere woonruimte te vinden."

„Waar zou je voor hem veilig zijn? Als hij kwaad wil, zal hij je overal weten te vinden. Wie kan je dag en nacht bescherming bieden? Zelfs voor een echtgenoot is dat onmogelijk."

„Laten we er niet over praten. Voorlopig zit hij nog vast," zei ze vastberaden.

Maar Simon kon het moeilijk van zich afzetten. Natuurlijk was die Benno nog even gevaarlijk als voor zijn arrestatie. Hij zou heus niet onder de indruk zijn van de boete die hij moest betalen en nog minder van een eventuele waarschuwing. Er waren voorbeelden genoeg waarbij zoiets helemaal verkeerd afliep. Hij voelde haar blik op zich rusten.

„Maak je niet zo bezorgd," zei ze zacht. „Het is lief van je, maar een aantal weken geleden moest ik ook alles alleen doen."

„Ik zal geen moment rust meer hebben," mompelde Simon.

„Wat wil je? Mij adopteren?" plaagde ze. Hij zei niets. Wat hij wilde was haar bescherming bieden zodat ze nooit meer bang hoefde te zijn.

5

Casper had een opdracht voor een tuinreportage, waarvoor hij naar Frankrijk moest. Hij wilde zijn vader vragen in die week enkele keren naar zijn appartement te gaan om de post op te halen en de enkele planten die hij had water te geven zodat de flat er niet al te onbewoond uitzag. Hij wilde ook even langs zijn ouderlijk huis gaan, maar hij verwachtte zijn vader in het hotel. In het restaurant ging hij aan een tafel zitten. Het was druk. Personeel was bezig met het dekken van lange tafels en het leek of ze grote haast hadden. Toen hij Henk zag wenkte hij hem. „Ik wil graag mijn vader even spreken. En een kop koffie."

„Je vader is er niet," klonk het kortaf.

„O nee? Dat is vreemd. Ik dacht eigenlijk dat hij altijd hier was."

„Vandaag dus niet en we kunnen hem ook niet bereiken. En dat terwijl er een uitgebreide lunch wordt verwacht voor vijftig personen. We waren daarvan niet op de hoogte. We wisten van de congresleden en dat ze hier vanavond zouden dineren, maar de lunch was een verrassing. Ze zeggen dat ze je vader hebben ingelicht. Maar die is dus vanmorgen met zijn hoofd in de wolken vertrokken."

„Zou een kop koffie voor mij nog wel lukken?" vroeg Casper, die met Henk niet over zijn vader wilde praten. Intussen maakte hij zich wel zorgen. Zijn vader gedroeg zich de laatste tijd echt vreemd. Hij begon zich nu af te vragen of er toch een vrouw in het spel was. Hij had hem toen gezien met die enorme bos rozen. Weet je wat, hij zou eens kunnen kijken of Simons auto weer in die buurt geparkeerd stond. Hij dronk snel zijn koffie op, hield toen Henk nog even staande.

„Redden jullie het?"

„Het zal wel moeten Maar er wordt gemopperd en dat is zeker geen reclame. Het duurt hun te lang. Maar wij moesten nog bestellingen doen toen wij hiervan hoorden. Het gaat, maar zeker niet van een leien dakje. Ik ben overigens van mening dat er niemand van honger zal omkomen als ze een halfuur moeten wachten," zei Henk nog. Casper kon niet anders dan het met hem eens zijn. Maar desondanks, de klant bleef koning.

„Ik zal eens proberen of ik mijn vader te pakken kan krijgen," zei hij.

„Zijn mobiel staat uit," meldde Henk.

Ze hadden dus al geprobeerd hem te bereiken. Wat was er met zijn vader aan de hand? Hij kon toch maar niet zo zijn hotel en restaurant in de steek laten? Hij was tenslotte degene die de leiding had. Vroeger hadden ze nooit een dag weg gekund vanwege dat restaurant. En nu ineens… Casper was intussen buiten en stapte in zijn auto. Hij ging er niet van uit dat zijn moeder wél zou weten waar zijn vader was. Hij zou eerst maar nagaan of zijn vermoedens juist waren.

Hij hoefde niet lang te zoeken, want in de saaie buurt viel de glanzende Audi van zijn vader onmiddellijk op.

Casper bleef even zitten, twijfelend wat hij nu moest doen. Zijn vader was een volwassen man, hij kon hem niet ter verantwoording roepen. Dat zou hij van hem ook niet pikken.

Hij kon hem wel zeggen dat ze hem in het hotel nodig hadden. Er was echter een probleem. Hij wist niet achter welke deur zijn vader zich ophield. Zomaar ergens aanbellen was toch te gek, hij wist niet eens een naam. De meeste mensen zouden echter om deze tijd aan het werk zijn, zodat hij geen gehoor zou krijgen. Twee namen vielen ook af, want de vrouw woonde alleen. Hij ging toch aanbellen. Enkele deuren werden geopend, meestal door vrouwen die hem vragend aankeken.

Hij mompelde iets van: „Sorry, de verkeerde deur." Hij kende de vrouw niet en toch had hij het gevoel dat hij het direct zou weten als hij goed zat. Toen bedacht hij dat hij kon informeren naar een jonge vrouw die alleen woonde met een kind. Op de derde verdieping bij de tweede deur was het raak. „Wie bent u?" vroeg de oudere vrouw achterdochtig.

„Ik ben een vriend," zei Casper toen maar.

„Zo. U bent toch niet die zogenaamde vriend die haar het ziekenhuis in heeft geslagen?"

„Nee, nee, zeker niet. Ik weet daar niets van. Is ze nu alweer thuis?"

„Ja. Je bent gewaarschuwd. Die oudere vriend is bij haar. Ik vermoed dat hij nogal gek op haar is. Hij zal niet toestaan dat iemand haar nog eens te na komt."

„Dat ben ik niet van plan," zei Casper. „Woont ze hiernaast?"

De ander knikte, maar bleef in de deuropening staan toen hij aanbelde. De deur werd geopend en hij stond tegenover zijn vader. Hoewel hij het verwacht had kreeg hij toch een schok. Mijn vader heeft ten minste het fatsoen een rood hoofd te krijgen, dacht Casper

91

verontwaardigd. Maar Simon herstelde zich snel.

„Wat kom jij doen?”

„Kan ik even binnenkomen?” vroeg Casper. Zijn vader ging een stap opzij en Casper liep regelrecht door naar de kamer. De jonge vrouw die op de bank lag kwam half overeind. Caspers ogen gleden over haar slanke figuur. Ze zag er goed uit, goed figuur, verzorgd uiterlijk. Heel apart, fris en energiek. Ze droeg een satijnen ochtendjas. Kwam ze nog maar net uit bed?

En zijn vader, hoe lang was hij hier al? Hij was vanmorgen nog in het hotel geweest, had hij begrepen. Dus hij had hier niet de nacht doorgebracht. Hoewel, het een hoefde het ander niet uit te sluiten. Trouwens, dit was wel mooi genoeg.

„Mag ik weten wat dit voorstelt?” vroeg de vrouw nu.

„Dat zou ik ook aan jou kunnen vragen. Ben je niet een beetje jong om iets te beginnen met een man van mijn vaders leeftijd?”

„Je zult begrijpen dat dit mijn zoon Casper is,” zei Simon. „Hij schijnt het niet nodig te vinden zich voor te stellen. Casper, zou jij je oordeel even willen opschorten?” zei hij. „Ik weet niet wat je hier komt doen, maar als dit controle moet voorstellen, vertrek dan. Je moeder weet dat ik hier ben.”

Ongelovig keek Casper hem aan. „En ze is het ermee eens? Weet ze wat je hier uitvoert?”

„Ik voer hier niets uit, zoals jij het noemt. Ik verzorg Feline, die vanmorgen uit het ziekenhuis is ontslagen. Er is verder niemand die naar haar omkijkt.”

„Het is niet te geloven.” Casper ging zitten, wat

Feline de opmerking ontlokte: „Ik heb je niet gevraagd te gaan zitten."

Casper bleef echter waar hij was. „Ik houd jou al langer in de gaten," zei hij tegen zijn vader. „Sinds jij je zo vreemd gedraagt. Ik vraag me toch af of je je voor een bejaarde dame ook zo had uitgesloofd." Simon zei niets. Hij begreep wel dat Casper niet kon geloven dat dit allemaal onschuldig was.

Toen vervolgde Casper: „Ik ben hier omdat er problemen zijn in het hotel. Ze kunnen je niet bereiken. Het lijkt me het beste dat je er snel heen gaat."

„Ik zal eerst bellen." Simon bedacht dat Casper zeer wel in staat was hem hier met een smoes weg te sturen. Hij kreeg Andrea aan de lijn die tamelijk paniekerig overkwam. Hij luisterde naar haar verhaal, zei dan: „Het is toch niet de eerste keer dat wij een lunch moeten verzorgen?"

„Het is nooit gebeurd dat we het niet van tevoren wisten. En zeker niet voor vijftig personen. Er zijn al enkele mensen vertrokken omdat het te lang duurt. Eén persoon ging weg omdat zijn ei te dun was. Hij had daar niet op gerekend en, nou ja... we krijgen de rekening van de stomerij. Henk kan al dit gemopper niet zo goed aan. Het zou helpen als je hier was, Simon."

„Ik zal kijken of ik weg kan," antwoordde hij met grote tegenzin, verbrak de verbinding en zei tegen Feline: „Ze schijnen het zonder mij niet aan te kunnen."

„Je kunt hen niet in de steek laten. Ik red me heus wel. Heidi wordt door de buurvrouw thuisgebracht. Maak het je niet te moeilijk, Simon, je hebt al genoeg gedaan." Ze glimlachte en Casper bedacht dat deze glimlach de grootste nurks zou doen smelten.

„Goed, ik ga wel even kijken. Maar ik kom wel terug. Ga jij mee?" richtte Simon zich tot Casper.

„Waarom zou ik? Als deze mooie jongedame oppas nodig heeft, dan neem ik wel voor je waar. En haast je vooral niet."

Simon keek naar Feline die de schouders ophaalde. „Als hij hier wil blijven, moet hij dat maar doen. Als hij op jou lijkt, gedraagt hij zich hoffelijk en bescheiden."

Simon durfde Feline geen zoen op de wang te geven nu zijn zoon erbij was. Aan de andere kant zou Casper nu toch moeten inzien hoe onschuldig alles was. Tenslotte kon Casper niet weten hoe het hart van zijn vader voortdurend op hol sloeg. Als hij er te veel op aandrong dat Casper zou vertrekken, zou deze de zaak zeker niet vertrouwen.

„Ik ben zo terug," zei Simon, na nog een laatste blik op hen beiden.

„Zo. Wat kan ik voor je doen?" vroeg Casper, het meisje aandachtig opnemend.

„Niets. Ik lig hier prima. Je vader heeft voor thee en beschuit gezorgd. Ik heb verder geen trek."

„Je kreeg dus je ontbijt op bed. Daar heeft hij moeder nooit mee verwend voorzover ik weet."

„Misschien staat je moeder dat wel niet toe. Misschien is zij zo'n type dat alles zelf wel regelt. En Simon zorgt graag."

„Jij hebt met mijn vader over mijn moeder en hun huwelijk zitten roddelen. Dat jij je niet schaamt om een zoveel oudere getrouwde man het hoofd op hol te brengen."

Ze sperde haar bruine ogen wijd open en Casper bedacht dat ze een bijzonder leuk gezichtje had.

„Ik breng niemand het hoofd op hol. Hij is hier de eerste keer ziek binnengekomen en sindsdien zien we elkaar af en toe. Als jij er iets smoezeligs van wilt maken, is dat jouw probleem. Ik ben geen type om een goed huwelijk te ondermijnen."

Daar zeg je zoiets, dacht Casper. Was het huwelijk van zijn ouders goed? Hij had zich daar nooit echt in verdiept.

„Ik begrijp dat je contact met mijn vader hebt gezocht toen je in het ziekenhuis lag," zei hij dan.

„Hij kwam er op een bepaalde manier achter." Feline besloot niet te zeggen dat de politie bij Simon aan de deur had gestaan. „Ik heb niemand anders," voegde ze er nog aan toe.

„Hoe is het mogelijk, zo'n mooi meisje als jij. Ik stel voor dat je voortaan mij belt als je in de problemen zit. Ik ben vrij man," zei Casper.

„Ik vertrouw Simon," antwoordde het meisje eenvoudig.

Nou, mijn vader heeft er werkelijk geen gras over laten groeien, dacht Casper nijdig.

„Ben jij dat meisje dat indertijd mijn ruitenwissers verwijderde?" vroeg hij plotseling.

Feline grinnikte. „Ik dacht al: ik heb hem meer gezien. Jij achtervolgt je vader dus. Wat belachelijk. Begrijp je niet dat, als er werkelijk iemand anders dan je moeder zou zijn in je vaders leven, jij dat toch niet zou kunnen tegenhouden?"

„Ik zou het wel proberen," zei Casper kalm. „Mijn vader is namelijk een eerlijk en rechtvaardig mens, hij zou niet kunnen leven met de scherven die hij achterliet. Maar voor hij daar zelf achter komt is het misschien te laat."

„Toch kun je iets dergelijks niet voorkomen," reageerde Feline.

„Ja, wat wil je nou? Wil je echt een relatie met mijn vader?" vroeg Casper geprikkeld.

„Houd toch op. Ik heb je al gezegd hoe het zit en ik leg het niet nog een keer uit. Ga alsjeblieft weg als je doorgaat met voortdurend lesjes te geven. Ik kan op mezelf passen en je vader ook."

Dat laatste betwijfelde Casper. Hij kon zich wel voorstellen dat zijn vader helemaal in de ban was geraakt van deze jonge vrouw. Zelf wilde hij ook al voortdurend naar haar kijken. Ze had nu de ogen gesloten, misschien was ze erg moe, dacht hij met enig schuldgevoel.

„Van je buurvrouw hoorde ik dat je mishandeld bent," zei hij.

„Hij is mijn ex-vriend en de vader van mijn dochter. Hij drinkt soms te veel en dan heeft hij zichzelf niet in de hand."

„En je dacht dat mijn vader dat wel even zou oplossen?" vroeg hij cynisch. „Ik zou er prijs op stellen als je mijn vader met rust liet. Als alternatief bied ik mezelf aan."

Ze zei niets, sloot opnieuw de ogen en Casper pakte een krant van de tafel. Hij kon zich echter niet concentreren. Wat kon hij meer doen? Hij had het gevoel dat zijn vader niet voor rede vatbaar was en zich helemaal niet bezighield met de gevolgen van wat hij aan het doen was. Als hij dit doorzette en er kwam een scheiding van, wat dan? Een relatie met deze Feline zou natuurlijk mislopen, zoiets kon geen stand houden. Deze jonge vrouw zocht alleen maar een betrouwbare vriend. En zijn vader sloeg gewoon op hol.

Een halfuur later werd er gebeld en Feline schoot verschrikt overeind. Ze greep naar haar hoofd. „Rustig maar, dat zal mijn vader wel zijn." Hij opende de deur en Simon stapte binnen.

„Ben je hier nu nog?" was zijn eerste vraag.

„Ja, ik heb de oppas van je overgenomen. Moest je niet in het hotel blijven?"

„Ze kunnen het nu wel alleen af," klonk het onverschillig.

„Nou, je invloed moet wel enorm groot zijn. Daarnet waren ze nog volslagen in paniek."

Simon antwoordde niet, maar liep voor hem uit de kamer binnen.

„Zo, hoe is het nu met je?"

Het viel Casper op dat de klank van zijn stem veranderde. Hij voelde echt iets voor deze vrouw. „In dat uurtje is de situatie niet veranderd," zei hij kribbig.

„Je kunt nu gerust weggaan," zei Simon.

„Het staat nog te bezien wie van ons tweeën beter kan vertrekken. Je bent bezig je hele leven te verknoeien, man." Casper had de warme glimlach van Feline gezien toen zijn vader binnenkwam en ergerde zich dood.

„Als jullie ruzie gaan maken, vertrek dan alle twee," liet Feline zich horen.

„Ik ga wel," zei Casper, die het gevoel had dat hij zijn vader hier met geen zeven paarden weg kreeg. „Maar ik kom terug," voegde hij eraan toe.

„Is dat een dreigement?" vroeg Feline.

„Niets meer dan een mededeling. Ik hoop dat jullie je verstand terugkrijgen." Met enkele stappen verliet hij het vertrek. Ze zwegen tot ze hem de voordeur hoorden dichttrekken.

„Ik voel me nu toch een beetje belachelijk," mompelde Simon.

„Waarom? Hij is degene die een probleem maakt," zei Feline luchtig.

Simon bleef tot na het avondeten en tot Heidi in bed lag. Het kind scheen het niet vreemd te vinden dat hij er was. Feline vond het prima dat hij Heidi in bed legde en daaruit putte hij weer hoop. Hoop dat ze misschien toch iets meer in hem zag dan een goede vriend. Aan de andere kant was hij daar ook huiverig voor. Want dan zou de trein niet meer te stoppen zijn.

Toen hij wegging kuste hij haar op de wang en zei dat hij binnenkort weer langskwam.

„Je bent altijd welkom. De eerste week ben ik sowieso thuis."

Simon ging terug naar het hotel. Inmiddels zouden alle problemen wel zijn opgelost, maar het was toch verstandig als hij zich nog even liet zien. Andrea was nog in zijn kantoor. „Zo, ik neem aan dat alle paniek een beetje overdreven was," zei hij luchtig.

„Ze waren niet echt tevreden," antwoordde Andrea kalm. „Ze waren er niet zeker van of ze hier de volgende keer opnieuw zouden boeken. Men zei, als de baas het niet de moeite vond zich met de gang van zaken te bemoeien, konden ze beter een restaurant zoeken waar ze meer welkom waren. Dat zeiden ze echt." Andrea was er duidelijk nog een beetje ontdaan van.

„Nou ja, die wind gaat wel weer liggen," bromde Simon. Maar het zat hem toch niet lekker.

Om het goed te maken tegenover het personeel bleef hij die avond nog lang bezig. Hij besprak uitvoerig het programma voor de volgende dag met hen. Er zou een groep mensen komen die op doorreis was voor een vakantie. Dit ging alleen om een diner. Het was niet ingewikkeld, want iedereen kreeg hetzelfde. Toch vroeg Henk verontrust: „Ben je er morgen wel?"

„Mogelijk ben ik wel een tijdje weg," antwoordde Simon, met in zijn achterhoofd de gedachte dat Feline de hele dag alleen was. Tenzij Casper haar opzocht. Deze gedachte stond hem niet aan. Natuurlijk, zijn gezond verstand zei dat Casper veel beter bij haar paste dan hijzelf. Wat leeftijd betreft in elk geval. Casper was nog een jongen in zijn ogen. Hij had al diverse vriendinnen gehad, maar liet hen even gemakkelijk weer los. Trouwens, het was te belachelijk voor woorden. Vader en zoon die een vrouw opzochten met hetzelfde doel voor ogen. Nee, dat klopte niet helemaal. Hij wilde bij haar zijn, naar haar luisteren, een beetje voor haar zorgen. Caspers motieven waren veel egoïstischer, daar was hij zeker van.

Simon was intussen in zijn auto gestapt en reed de parkeergarage uit, op weg naar huis. Hij had altijd goed met Casper overweg gekund. Maar toen hij hem bij Feline voor de deur had zien staan, had hij die deur voor zijn neus willen dichtslaan. Was het werkelijk mogelijk dat dit meisje tussen hem en zijn zoon zou komen? En wilde hij dat risico lopen?

Paula zat voor de televisie toen hij binnenkwam. Ze keek nauwelijks op.

„Ik ben laat. Er waren wat problemen in het hotel."

„Lieg niet," zei Paula, even kalm alsof ze zei 'doe de deur dicht'.

„Ik kom er net vandaan," zei hij verontwaardigd.

„Dat kan wel zijn. Maar vanmiddag toen ze jou hard nodig hadden was je er niet. Ze belden hierheen."

„Het zou handig zijn als jij ook iets wist van de gang van zaken in het hotel," zei Simon.

„Zodat je mij de schuld kunt geven als er iets misgaat. Simon, je was dus toch weer bij haar."

„Ik had je verteld dat ik haar vandaag zou helpen. Ze heeft niemand."

„Misschien kun je thuiszorg inschakelen als ze werkelijk zo hulpbehoevend is," opperde ze. „Je kunt niet dag na dag je personeel in de steek laten."

„Dat ben ik ook niet van plan."

En dat ben ik ook werkelijk niet, dacht hij, toen hij al in bed lag en Paula nog wat rondscharrelde. Hij keek naar haar toen ze haar gezicht schoonmaakte en haar haren borstelde.

Paula zag er nog jong uit en ze verzorgde zich tot in de puntjes. Ze hadden het altijd goed samen kunnen vinden. Wat was hem toch overkomen? Was hij werkelijk halsoverkop verliefd geworden op een vrouw die zijn dochter kon zijn? Dat moest een bevlieging zijn. Met een beetje wilskracht moest hij haar uit zijn hoofd kunnen zetten.

Het moest toch niet zo moeilijk zijn het gewone rustige bestaan weer op te pakken. Waarom stond alles hem de laatste tijd zo tegen? Zijn luxe bestaan, zijn mooie bungalow en als hij eerlijk was, zelfs zijn vrouw. Dit moest wel een soort midlifecrisis zijn.

Toen Paula naast hem in bed gleed, legde hij een arm om haar heen. Ze kroop tegen hem aan, wat hem verraste. Hij had verwacht dat ze afwerend zou doen. Tot zijn eigen schrik kwam hij even later tot de ontdekking dat hij niets voelde. Werkelijk, het was of hij in een plank was veranderd. Het enige wat hij voor zich zag waren Felines bruine ogen. „Ik ben een beetje moe, het was een lange dag," mompelde hij.

„Je wilt me wijsmaken dat dat de oorzaak is. Je weet dat het niet zo is. Die ander staat tussen ons in. Ze ligt hier bij ons in bed en ze is de hele dag bij je. Ik kan daar niet tegen vechten, Simon. Iemand die zoveel jonger is zal het altijd winnen. Wil je scheiden?"

„Natuurlijk niet," zei hij heftig. „Het meisje houdt mij inderdaad bezig, maar niet op de manier die jij denkt. Ik ben getrouwd, zij heeft een kind en we schelen een generatie."

„Dat zijn allemaal redenen waarom het eigenlijk niet kan," beaamde Paula. „Maar het zegt niets over wat je feitelijk wilt. Simon, ik ga mezelf niet vernederen door voor je te vechten."

Ze draaide zich van hem af en Simon bleef roerloos liggen. Het schuldgevoel drukte op hem als een loden last. Hij kon niet zijn hele leven opgeven. Trouwens, Feline wilde alleen vriendschap.

„Ze wil alleen maar een oudere vriend. Ze heeft al jong haar vader verloren," zei hij in het donker.

„Mogelijk kun je haar als je dochter adopteren."

Simon zei niets. Realiseerde Paula zich dat ze een dochter van die leeftijd hadden kunnen hebben? Feline had die opmerking ook al een keer gemaakt. Gewoon een grapje. Zij wilde niets serieus met hem beginnen. Hij zag haar vriendelijkheid aan voor verliefdheid. Wilde hij zich niet onsterfelijk belachelijk maken, dan moest hij een punt zetten achter zijn bezoekjes aan haar. Het zou niet eerlijk zijn zich te verschuilen achter het feit dat hij soms nog verdriet had om het verlies van Emma. Paula zou terecht zeggen dat hij daar nooit over praatte.

Paula vocht intussen tegen haar tranen. Ze wilde niet dat hij het merkte. Met tranen en smeekbeden wilde ze hem niet aan zich binden. Wat was er toch fout gegaan in hun huwelijk? Want dat er iets mis was, dat was zeker. Simon had nooit aandacht gehad voor andere vrouwen. Hij was trouw en eerlijk… En nu ineens… Hij zei steeds dat het onschuldig was, maar ze kon hem moeilijk geloven. Casper had gezegd: pa lijkt wel helemaal de kluts kwijt te zijn. En daar profiteerde zo'n meisje natuurlijk van. Een vrouw, vijfentwintig jaar jonger dan hijzelf. Daar kon zij immers nooit tegenop.

Over enkele maanden waren ze dertig jaar getrouwd. Ze had een feest willen geven, evenals vijf jaar geleden. Ze realiseerde zich dat ze dat alleen maar voor zichzelf had besloten. Ze was er stilzwijgend van uitgegaan dat Simon het prima zou vinden. Maar nu zou hij zoiets vast niet willen. Besefte zo'n vrouw wel wat ze aanrichtte? Misschien had Simon wel gezegd dat zijn huwelijk niets meer voorstelde. Zoiets zeiden mannen immers om zich schoon te praten en begrip te krijgen. Wat moest ze doen? Hem de deur wijzen, zeggen dat hij maar bij zijn liefje moest gaan wonen? Maar dan was ze hem echt kwijt. En misschien was het alleen een kortstondige bevlieging. Maar stel dat dat zo was, kon ze hem dan deze escapade vergeven? Daar was ze nog niet aan toe. Kon ze er maar met iemand over praten.

Joline? Ze wist niet of ze aan haar zus veel steun zou hebben. Maar ze stond wel midden in het leven. Met Casper wilde ze er niet meer over beginnen. Hij was hard in zijn oordeel en vond dat zijn vader zich belachelijk gedroeg. Hij had zelfs gezegd dat hij geen respect meer voor hem kon opbrengen. En hoewel het prettig was te weten dat haar zoon aan haar kant stond, wilde ze toch voorkomen dat Casper en Simon ruzie kregen. Ja, morgen zou ze naar Joline gaan.

Toch kon ze de volgende morgen niet nalaten te vragen: „Ga je naar je werk? Of naar… Hoe heet ze eigenlijk?"

„Dat laatste is voor jou van geen belang. Ik ga naar mijn werk, maar ik ga van de week nog een paar keer bij haar langs. Ze heeft iemand nodig die op haar let. Als ze weer beter is, zal ik haar niet meer opzoeken."

Ze keek hem twijfelend aan, maar zei niets.

Toen hij was vertrokken, ruimde ze nog een en ander op en besloot naar Joline te gaan. Ze had toch geen rust. Het was nog vroeg, maar ze moest haar verhaal aan iemand kwijt.

Hoewel haar zusje niet iedere dag in het tehuis aanwezig was, bedacht ze toen ze al in de auto zat. Ze had beter kunnen bellen. Maar goed, ze was nu onderweg, ze wist tenslotte ook waar Joline zelf woonde.

Ze parkeerde de auto binnen het hek en stapte uit. De tuin begon allerlei kleuren te vertonen. Zoals altijd in het vroege voorjaar overheersten de narcissen en de sleutelbloemen. Op een van de banken zat een man met een baard. Hij zag er netjes en verzorgd uit en knikte haar vriendelijk toe.

Paula knikte ook zo half en half en liep naar binnen. Tot haar opluchting vond ze Joline in de keuken bezig.

„Nee maar. Ik hoop niet dat dit betekent dat er iets ernstigs aan de hand is. Of kom je mij te eten vragen? Daar had Simon het een poosje terug over, maar ik heb niets meer gehoord."

„Simon heeft momenteel andere zaken aan zijn hoofd," antwoordde Paula.

Joline hoorde aan Paula's stem dat het niet gewoon zijn werk was waar Simon het druk mee had. „Laten we even gaan zitten. Wil je koffie?"

Joline nam haar mee naar de huiskamer. Paula keek om zich heen. Het was een allegaartje van meubels, maar wel gezellig, moest ze toegeven. Maar om je eigen huis nu om te ruilen voor zoiets… Stel dat Simon wegging, zou hij dan hier terechtkomen? Nee, dan ging hij natuurlijk bij die ander wonen.

„Je ziet er een beetje zorgelijk uit. Is er iets met Simon? De laatste keer dat hij hier was vond ik hem wat afwezig," zei Joline terwijl ze tegenover haar ging zitten.

„Hij is zeer afwezig," zei Paula, een slokje van haar koffie nemend. „Hij heeft namelijk een andere vrouw gevonden."

„Simon? Een andere vrouw? Dat bestaat niet."

„Zo zie je maar hoe men zich in mensen kan vergissen. Doe er je voordeel mee, zou ik zeggen. Het meisje is vijfentwintig jaar jonger dan hij." Paula's stem beefde en ze zweeg.

„Daar sta ik van te kijken. Weet je wel zeker dat het serieus is?"

„Hij beweert natuurlijk van niet."

„Maar je gelooft hem niet. Toch kan ik me iets dergelijks van Simon niet voorstellen."

„Geloof mij nu maar. Ik kwam naar je toe om raad. Wat moet ik doen? Moet ik naar die vrouw toe gaan en haar ter verantwoording roepen?"

„Ik vrees dat je daar weinig mee opschiet," zei Joline kalm. „Je kunt dat beter aan Casper overlaten."

„Die is daar al geweest. Maar ook het meisje zelf beweert dat het enkel vriendschap is."

„En waarom zou dat niet zo kunnen zijn?" vroeg Joline nonchalant. „Ik heb ook diverse vrienden die ik hier al een aantal jaren ontmoet."

„Ja, maar dat is heel iets anders. Het is uitgesloten dat jij verliefd zou worden op een van hen."

„O ja? Zeg dat maar niet te hard."

Paula schudde het hoofd en zweeg. Joline had altijd de grenzen opgezocht en was er soms overheen gegaan. Maar de gedachte dat ze verliefd zou zijn op een vervuilde, aan drugs verslaafde zwerver was absurd. Ze wilde haar alleen maar op stang jagen.

Joline zag de wisselende uitdrukking op het gezicht van haar zus en dacht: ze plaatst mensen nog steeds in hokjes. Die zijn zoals het hoort en die deugen niet.

Toen Maarten binnenkwam kreeg Joline een hoofd als een boei. Hij gaf Paula een hand, noemde alleen zijn voornaam en zei tegen Joline: „Ik weet niet of ik er vanavond ben."

„Waar ga je heen?" Ze klemde haar lippen opeen. Het was regel dat ze bewoners nooit vroeg wat ze uitvoerden en waarom ze zich bijvoorbeeld enkele dagen niet hadden laten zien. Hun vrijheid stond bij deze mensen voorop. Maarten glimlachte. „Gewoon maar wat rondlopen. Je weet dat ik weer terugkom."

Joline stond op en liep met hem mee naar de deur. Dat deed ze anders nooit, maar ze wilde even weg van Paula's geïnteresseerde blik.

„Ik neem aan dat die mevrouw geen zwervend bestaan leidt?" merkte Maarten op.

„Ze is mijn zus Paula."

„Je meent het. Groter verschil is nauwelijks mogelijk." Zijn blik gleed even over haar gezicht, toen zei hij: „Maar ik heb liever met jou te maken." Hij raakte even haar hand aan en verliet toen het huis. Ze keek hem na. Ze kon niet ontkennen dat deze man haar buitengewoon interesseerde. Ze had met hem al diverse diepgaande gesprekken gevoerd. Hij was beschaafd en behulpzaam. Ze moest zichzelf bekennen dat ze, sinds Maarten hier regelmatig kwam, met nog meer plezier naar haar werk ging.

Toen ze weer terug was in de kamer zei ze: „Je stelde je niet eens aan hem voor."

Paula haalde de schouders op. „Ik zie hem hierna immers nooit meer."

„Is dat een argument?"

„Ik ga me toch niet voorstellen aan iedere persoon die ik ergens tegenkom." Paula klonk geïrriteerd.

„Behalve als ze wat hoger op de maatschappelijke ladder staan," reageerde Joline scherp.

Paula zuchtte. „Het is altijd hetzelfde. We zien

elkaar zelden en als dat dan een keer gebeurt, krijgen we ruzie."

Joline antwoordde niet, maar nam de kopjes mee om nog eens koffie in te schenken. Paula had wel een beetje gelijk. Ze ergerden zich voortdurend aan elkaars levensstijl. Ze zou zich eens wat toleranter moeten opstellen. Maar juist tegenover Paula kostte haar dat veel moeite. Vooral omdat ze altijd een blik van afkeuring in haar ogen meende te zien. Toen ze terugkwam in de kamer en ze Paula's gezicht zag zei ze: „Ik zou me niet zoveel zorgen maken om Simon. Hij is je al bijna dertig jaar trouw."

„Dat heb ik ook altijd gedacht. Maar je kunt nergens meer zeker van zijn."

„Stel nu eens dat het waar is. Simon is verliefd op een vrouw die zijn dochter zou kunnen zijn. Dan zal hij snel genoeg inzien dat hij in een onmogelijke situatie verzeild is geraakt. Dan komt hij weer bij je terug. Met een flinke bos bloemen die jij dan in eerste instantie in de vuilnisbak gooit," probeerde Joline een grapje.

„Dat zou wel erg goedkoop zijn, niet?" Paula dacht aan de narcissen. Was Simon toen al bezig zijn schuldgevoel af te kopen? „Ik weet niet of ik hem dan nog wil," zei ze.

„Kom Paula. Eén misstap. Houd je van hem?"

„Daar ga ik wel van uit."

Joline vond dit een nogal vreemd antwoord, maar ze zweeg. Paula liet nu eenmaal niet gemakkelijk iets van zichzelf zien.

„Die man, die Maarten, heeft die meer dan gewone belangstelling voor je?" vroeg haar zuster dan plotseling.

Joline antwoordde niet direct. Ze had het kunnen weten. Paula ontging weinig. „Ik weet niets van zijn achtergrond. Maar we kunnen goed met elkaar praten. Je zou het vriendschap kunnen noemen."

„Pas maar op. Hij kan wel een criminele achtergrond hebben. Jij bent altijd zo impulsief."

„Weet je hoe het zit? Hij heeft zijn vrouw omgebracht en haar ergens in een bos begraven. Nu tobt hij er voortdurend over dat hij dat niet netjes heeft gedaan en…"

„Hou op, Joline. Zeg niet van die afschuwelijke dingen."

Haar zus hield de handen voor de oren.

„Je vraagt erom. De mensen die hier komen, zijn normaal en…"

„Wat je normaal noemt. Niemand gaat toch voor zijn plezier op straat zwerven."

Joline klemde haar lippen op elkaar, vastbesloten niets meer te zeggen. Zie je wel dat het niet lukte met Paula. Het lukte nooit.

„Wil je dat ik eens met Simon praat?" vroeg ze toen.

„Jij? Wat wil je hem dan zeggen?"

„Vragen waar zijn gezond verstand is gebleven. En zeggen dat hij jou niet zo mag behandelen. Dat je dertig jaar huwelijk niet zomaar weggooit als een oude schoen. Dat soort dingen."

„Misschien is het wel een goed idee. Hij mag jou," zei Paula.

„Heb je eraan gedacht dat hij in dat meisje mogelijk de dochter ziet die hij ooit heeft gekregen en weer moest afstaan?" vroeg Joline.

„Nee, dat is niet in mij opgekomen. Zou dat kunnen?" fluisterde Paula.

„Een mens zit soms vreemd in elkaar."

„Goed, praat jij maar met hem," zei Paula nog eens.

Ze moet wel ten einde raad zijn, dacht Joline later. Zij was toch wel de laatste aan wie Paula in de regel iets toevertrouwde. Ze besloot niet af te wachten tot Simon eens langskwam. Ze zou naar zijn hotel gaan. Als Maarten terugkwam, zou ze aan hem vragen hoe ze het beste kon handelen. De dingen die hij zei waren vaak bijzonder verhelderend. Maar over dat laatste zou ze Paula niet inlichten. Of zou ze dat meisje opzoeken? Nee, dat kon ze toch niet doen achter Simons rug om?

6

Zo verscheen ze de volgende dag in het hotel. Als Simon al verbaasd was, liet hij dat niet blijken. Hij vroeg haar koffie met hem te drinken in het restaurant. „Ik had jou niet verwacht," zei hij. „Maar gezellig dat je eens langskomt."

Vriendelijk als altijd, dacht Joline. Haar zwager was een innemend persoon. Het kwam haar niet vreemd voor dat een vrouw verliefd op hem werd.

„Gisteren was Paula bij mij," besloot ze dan gelijk maar openhartig te zijn. „Ze vertelde mij een onwaarschijnlijk verhaal."

„O ja?" Simon nam een slokje van zijn koffie en tuurde naar buiten.

„Je weet natuurlijk waar dit over gaat," veronderstelde Joline.

„Ik heb wel een vermoeden."

„Simon, ik kan me niet voorstellen dat jij een verhouding hebt met een vrouw die vijfentwintig jaar jonger is dan jij."

„Ik heb geen verhouding. Het meisje in kwestie is zesentwintig. Ik heb haar ontmoet toen ik hondsberoerd in het trappenhuis van haar flat zat. Zij heeft me toen verzorgd en sindsdien is er een soort vriendschap ontstaan. Dat is alles. Zij heeft het niet gemakkelijk. Ik zou haar graag helpen, ze staat overal alleen voor."

„Dat lijkt me niet verstandig, Simon."

„Het is zo verdraaid saai om verstandig te zijn," barstte hij uit. „Joline, er is niets tussen Feline en mij. Maar als ik eerlijk ben, ik zou willen dat die mogelijkheid erin zat."

Joline keek hem aan. Ze zag dat hij niet bepaald gelukkig was met de hele situatie.

„En het meisje zelf? Hoe denkt zij erover?" vroeg ze zacht.

„Zij weet niets van mijn gevoelens. Zij ziet dit alleen als vriendschap. Ik ben niet van plan misbruik van de situatie te maken. Maar gezien alles wat ik te horen krijg van Paula en Casper, zal zelfs een eenvoudige vriendschap wel niet mogelijk zijn."

Joline betwijfelde of de vrouw in kwestie niet wist wat Simon voor haar voelde. Een vrouw voelde zoiets haarfijn aan. Stel dat zij misbruik maakte van Simon door net te doen of ze verliefd op hem was. En dan geld van hem aan te nemen. Ze was nu wel erg negatief, maar het was een feit dat dergelijke vrouwen bestonden. En Simon was goed van vertrouwen.

„Je bent bijna dertig jaar met Paula getrouwd. Houd je niet meer van haar?" vroeg ze zacht.

Bedachtzaam zei Simon: „Men heeft het tegenwoordig over een vonkje dat overslaat, over vlinders in je buik. Dat voel ik niet meer als ik bij Paula ben. Maar dat is voor mij nog geen reden tot echtscheiding."

Joline fronste de wenkbrauwen. Zou Simon van mening zijn dat hij die ander er wel bij kon hebben? Nee, dat kon ze niet van hem geloven. Als hij nu zei dat er niets was tussen hem en dat meisje, geloofde ze hem. Toch meende ze te weten dat Simon halsoverkop verliefd was geworden. Het zou veel beter zijn als hij haar niet meer zag.

„Als jij je huwelijk in stand wilt houden, kun je haar beter niet meer ontmoeten. Ik wil niet belerend overkomen, maar ik weet niet hoe ik het duidelijker moet zeggen."

„Dat is toch juist hypocriet," zei Simon, zijn kop koffie van zich afduwend of hij er ineens genoeg van had. „Juist als ik haar verder links laat liggen, zal Paula denken dat er inderdaad meer tussen ons is dan geoorloofd."

„Je blijft dan aan de veilige kant. Want je mag dat meisje bijzonder graag, Simon. En wat niet is, kan komen."

„Dus ik moet haar in de steek laten? Op dit moment ligt ze met een hersenschudding thuis. Ze is door haar ex in elkaar geslagen. Ze heeft een dochter van vier jaar."

Joline beet op haar lip. De zaak was gecompliceerder dan ze had gedacht. „Maar toen jij nog niet in beeld was redde ze het toch ook?"

„Maar ik ben er nu toch?"

Joline moest denken aan het gezegde 'Van gekken en verliefden is geen redelijkheid te verwachten'. Ze stond op. „Je zult zelf een beslissing moeten nemen, Simon. Maar Paula is hier niet gelukkig mee."

„Paula heeft een prima leven. Ik ben niet zo belangrijk voor haar," was het antwoord.

Daar kon je je weleens in vergissen, dacht Joline. Maar haar zwager was nu niet voor rede vatbaar.

Toen ze in haar auto stapte dacht ze: ik ben hier weinig mee opgeschoten. Simon was duidelijk verliefd. Hij zag zelf in dat het een onmogelijke zaak was, maar kon het meisje in kwestie toch niet loslaten.

Simon nam het besluit Feline niet meer op te zoeken, hoewel dit hem veel moeite kostte. Het was of er iets lichts en vrolijks uit zijn leven was verdwenen.

En na drie dagen belde ze hem zelf. Het was Paula die de telefoon aannam en hij hoorde haar zeggen: „Wanneer houd je hier eens mee op?"

Hij begreep onmiddellijk dat het Feline was. Even later gaf Paula hem de telefoon en zei: „Ze mist je."

Simon begreep dat hij nu niet met de telefoon uit de kamer kon verdwijnen. Paula zou denken dat ze het gesprek niet mocht horen. Dus zei hij vriendelijk: „Feline, hoe is het nu met je?"

„Het gaat wel goed. Maar je beloofde nog langs te komen. Ik vraag me af of ik iets verkeerds heb gezegd."

„Natuurlijk niet. Je bent toch nog niet aan het werk?"

„Volgende week. Benno is weer op vrije voeten en ik ben bang dat hij terugkomt." Hij hoorde de angst in haar stem.

„Hij zal zich nu wel rustig houden," suste hij.

„Als hij gedronken heeft, vergeet hij alles."

„Houd je deur goed op slot. Ik kom morgen wel even langs. Als er iets is, mag je mij altijd bellen."

Hij voelde dat ze een beetje teleurgesteld was, maar hij kon niet vrijuit praten met Paula in de buurt. Als hij naar zijn gevoel te werk ging, zou hij haar nu onmiddellijk opzoeken.

„Je wilt naar haar toe," zei Paula plotseling.

„Het zit me dwars. Zo'n meisje dat om hulp vraagt en ik laat haar in de steek. Alleen omdat jij en Casper er iets verkeerds van denken. Terwijl er niets aan de hand is."

„Waarom belt ze de politie niet? Ik zou toch zeggen dat dat de eerste, aangewezen hulplijn is."

„De politie," zei Simon schouderophalend.

„Bel dan Casper of hij even bij haar langsgaat. Hij is daar toch al meer geweest?"

Simon ging er niet op in. Het laatste wat hij wilde was dat zijn zoon zich met Feline ging bemoeien. Casper kon gemakkelijk verliefd op haar worden en als dat wederzijds was, kwam hij buiten spel te staan.

Het drong tot Simon door dat hij wel erg graag de belangrijkste figuur in Felines leven wilde zijn. Hij staarde voor zich uit. Hij voelde zich gevangen in het keurslijf van wat geoorloofd was en wat niet. Die banden hadden zelden zo gekneld.

Hij hoorde Paula boven bezig en dacht: als ik nu verdwijn, ben ik weg voor ze iets kan zeggen.

Maar de problemen zouden later komen. Even later hoorde hij haar de trap afkomen en deed of hij verdiept was in een vaktijdschrift.

„Ik heb Casper gebeld," zei ze.

Hij keek met een ruk op. Toen hij haar blik zag, waarin hij meende iets triomfantelijks te zien, werd hij woedend. „Waar bemoei jij je mee? Ze vroeg niet naar Casper, ze vroeg naar mij."

„Je zei dat ze hulp nodig had. We kunnen een mens in nood niet aan zijn lot overlaten. Dat zei je toch zelf? Casper gaat even langs, kijken of alles in orde is. Dan kun jij ook rustig slapen."

Hij keek in haar rustige grijze ogen en balde zijn handen tot vuisten. „Ik heb zelden zoveel gehuichel gehoord," beet hij haar toe.

„Je beweerde dat er niets tussen jullie is. Toch krijg ik de indruk dat je haar voor jezelf wilt houden, Simon, en ik wil je alleen helpen om op het rechte pad te blijven. En geen dingen te doen waar je later spijt van krijgt."

„Niet te geloven," mompelde hij. Hij zag dat ze het oprecht meende en voelde zich machteloos. Het liefst zou hij nu onmiddellijk naar Feline gaan. Maar het feit dat hij zijn zoon daar zou aantreffen, weerhield hem.

Feline aarzelde met de deur te openen toen de bel ging. Simon kon het niet zijn, hij had gezegd dat hij de volgende dag zou langskomen. „Mam, zal ik opendoen?" vroeg Heidi.

Feline schudde het hoofd. „Ik ga wel." Ze kon nu niet meer doen of ze niet thuis was. De heldere stem van haar dochter drong door muren heen. Ze had nu echter een ketting op de deur en gluurde door de smalle kier.

„Kiekeboe," klonk het plagend aan de andere kant. Ze begon ook te lachen.

„Ben jij het?" Enigszins opgelucht opende ze de deur.

„Ik hoop dat je met mij ook genoegen neemt," zei Casper, haar voorbijlopend de kamer in.

Feline sloot de deur weer zorgvuldig.

„Hallo meisje." Casper gaf Heidi een klopje op haar hoofd, keerde zich dan naar Feline. „Ik begrijp dat je hulp nodig hebt."

„Heeft Simon jou gebeld?" vroeg ze zacht.

„Nee, het was Simons vrouw die mij belde. Simon, mijn vader dus, heeft namelijk al dertig jaar een vrouw."

„Dat weet ik. Denk je dat ik haar plaats wil innemen?"

„Ik weet niet wat ik van jou moet denken. Ik zou alleen willen dat je mijn vader met rust liet. Het huwelijk van mijn ouders is niet slecht, maar jouw inbreng zou mijn vader weleens net dat zetje kunnen geven dat hem over de rand duwt."

Ze stond op. „Ik zal je uitlaten," zei ze kortaf.

„Geen sprake van. Ik ben namelijk geen hond."

Ze bleef hem aankijken. „Uiterlijk lijk je op je vader," zei ze dan. „Maar Simon is een lieve man. Bij hem voel ik me ontspannen."

„Misschien heb je die gevoelens bij mij ook als ik verliefd op je word. Dat zou zomaar ineens kunnen gebeuren, niet waar?"

„Dat lijkt me onwaarschijnlijk. Wil je koffie voor je weggaat?"

Hij grinnikte. „Een subtiele wenk om niet te lang te blijven."

„Precies."

In de keuken haalde ze diep en beverig adem. Ze had met zichzelf afgesproken de eerste jaren niets meer met een man te beginnen. Daarom was Simon een prettig alternatief. Al wat ouder, zorgzaam en naar ze hoopte alleen vriendschap verwachtend. Hoewel ze van dat laatste niet meer zo zeker was. Casper liet doorschemeren dat zijn vader verliefd op haar was. Dat hij misschien zelfs zijn huwelijk voor haar op het spel zette. Dat had ze nooit gewild.

Ze had daar naar haar gevoel ook geen aanleiding toe gegeven. Ze ging graag met Simon om, en ook zijn zoon leek een aardige vent. Als ze niet zo'n nare ervaring had gehad, wie weet…

Maar nu was iedere toenadering uitgesloten. Toen ze terugkwam in de kamer zat Heidi dicht naast Casper, terwijl hij haar voorlas. „Kom ook zitten," zei hij en schoof wat op.

Het bankje is niet geschikt voor drie personen, dacht

ze, maar ze wilde niet kinderachtig lijken. Ze maakte zich zo smal mogelijk en toen hij achteloos zijn arm om haar schouders legde kromp ze ongewild ineen. Hij hield op met lezen en keek haar aan.

„Wat krijgen we nu? Ik doe je niks."

„Dat is je geraden ook," zei ze met trillende lippen. „Ik houd er niet van vastgehouden te worden."

„Dan heb je wel een probleem. Je kunt toch niet menen, dat jij, een mooie vrouw van nog geen dertig, nooit meer vastgehouden wilt worden?"

„In elk geval niet op een hardhandige manier," zei ze nog steeds bevend.

„Dat was niet precies wat mij voor ogen stond. Ik bezorg vrouwen geen blauwe plekken. Op die manier gebruik ik mijn handen niet."

Ze ontspande zich enigszins. Casper begon iets van de situatie te begrijpen. Feline had vervelende ervaringen gehad met een vriend. En nu zocht ze bescherming bij een oudere man. Zijn vader.

Hij keek naar het kleine meisje dat met haar duim in haar mond tegen hem aan geleund zat.

„Ga je weleens ergens naartoe met haar? Bijvoorbeeld naar een speeltuin?" vroeg hij.

„Nauwelijks."

Dus niet, dacht hij medelijdend. Bepaalde zaken waren voor haar onmogelijk geworden, waarschijnlijk omdat ze bang was haar ex tegen te komen. „Zullen wij eens naar de dierentuin gaan?" stelde hij voor.

„Ja," riep haar dochter voor Feline kon reageren. Ze aarzelde. Zo zette Casper haar wel voor het blok. Het was nu moeilijk te weigeren en haar dochter teleur te stellen.

„Hoe wilde je dat regelen?" vroeg ze.

„Gedeeltelijk kan ik mijn eigen tijd indelen. Maar aangezien jij ook werkt, lijkt het mij het beste om op een zaterdag te gaan. We kunnen voor aanstaande zaterdag afspreken."

„Dat is snel."

„Waarom zouden we het uitstellen?" zei hij voortvarend.

„Het is nog zo vroeg in het jaar. Het kan slecht weer zijn."

„Maart kan ook mooie dagen leveren. En nu is het er nog rustig."

Feline zag haar dochter met grote ogen van de een naar de ander kijken. Heidi kon het allemaal misschien niet precies volgen, maar ze wist wel waar het over ging. „Goed dan," gaf Feline toe.

Ze spraken nog wat duidelijker af en Feline begon er zin in te krijgen. Ze kwam de deur haast niet uit en vooral voor Heidi was dit leuk. Daarbij leek Casper prettig gezelschap. Toen hij weg was vroeg ze zich af of ze Simon hierover moest inlichten.

Op de een of andere manier had ze het gevoel dat hij het niet prettig zou vinden.

Simon kwam de volgende dag aan het eind van de middag. Hij bracht een stickerboek voor Heidi mee, waar deze zich direct mee ging bezighouden.

„Je moet haar niet verwennen," zei Feline.

„Voorzover ik het kan beoordelen wordt dit kind totaal niet verwend," zei Simon kalm.

Hij heeft wel gelijk, dacht Feline. Ze was dan wel geen bijstandsmoeder, maar erg royaal had ze het niet.

Benno had nooit een cent voor Heidi betaald. Ze zou dat ook niet willen. Ze kon best rondkomen. Maar zo'n dagje dierentuin hakte erin. Maar goed, voor een keer moest dat kunnen.

„Hoe voel jij je nu? Heb je nog last van je hoofd?" vroeg Simon.

„Dat valt erg mee. Ik heb al twee dagen geen hoofd-pijn meer."

„Geen bijzonderheden voorgevallen gisteren?"

Ze schudde het hoofd. „Het lijkt allemaal wat over-dreven. Maar ik ben flink van hem geschrokken. Ik kan me niet voorstellen dat Benno het hierbij laat. Ik kreeg wel de indruk dat je vrouw het heel vervelend vond dat ik belde."

„Ik heb haar uitgelegd wat er gebeurd is. Zij is altijd de eerste om te zeggen dat je een mens in nood moet helpen. Maar je bent te veel alleen. Zullen we eens een dag weggaan? Naar de dierentuin bijvoorbeeld?"

Voor Feline kon reageren riep haar dochter: „We gaan zaterdag naar de dierentuin." En grootmoedig: „Jij mag ook wel mee."

Simon keek Feline vragend aan en ze bedacht dat ze beter niet geheimzinnig kon doen. Hij kwam er toch wel achter.

„Casper was gisteravond hier en hij kwam met het-zelfde voorstel," zei ze luchtig.

Simon ging zitten, hij zag er ineens een beetje aan-geslagen uit. „Ik had het kunnen weten," mompelde hij.

„Heb je er bezwaar tegen?" vroeg Feline.

„En als ik dat had, zou je dan niet gaan?" vroeg hij.

„Ik wil graag gaan en Heidi ook. Maar, zoals Heidi

zegt, je kunt meegaan."

„Denk je dat Casper dat goedvindt?"

„Waarom niet? Je hebt toch geen conflict met Casper mag ik hopen."

Dat zal er snel van komen, dacht Simon. Een strijd om dezelfde vrouw. Hij was echter de enige die er zo over dacht. Feline leek volkomen onbevangen. „Ik ga maar weer," zei hij, terwijl hij opstond.

„Nu al? Je bent er net. Wil je geen koffie?"

„Nou, vooruit dan maar. Verwacht je Casper ook nog?"

„We hebben voor aanstaande zaterdag dus die afspraak. Heb je liever niet dat Casper hier komt? Ik begreep dat je vrouw hem gisteren heeft gebeld."

„Dat is zo. Ik kan je niet verbieden mijn zoon te ontvangen en met hem uit te gaan. Jullie zijn beiden jong. Hij is op dit moment vrij, dus waarom zou ik er bezwaar tegen hebben? Ik zou alleen niet willen dat hij je ongelukkig maakt. Je hebt al genoeg voor je kiezen gekregen."

„Ik geloof niet dat die kans er inzit," zei Feline luchtig.

Simon zei niets en dronk zijn koffie. Hij schaamde zich voor zichzelf. Waarom had hij laten doorschemeren dat Casper haar weleens ongelukkig zou kunnen maken? Dat was gewoon klinkklare onzin. Hij wilde niet dat Casper hier kwam, dat was het. Ook als het tussen hemzelf en Feline alleen vriendschap bleef, wilde hij het meisje voor zichzelf houden.

Na de koffie stond hij toch op. „Als er iets is, kun je altijd bellen, ook naar het hotel," zei hij vriendelijk.

„Dat weet ik, Simon, dat is een geruststellende

gedachte."

Hij zou kunnen zeggen: als het nodig is, kun je Casper ook bellen. Maar hij hield het bijtijds binnen. Het zou zo kinderachtig zijn.

Diep in gedachten stapte hij in de auto, hij vergat zelfs naar boven te kijken en even te zwaaien. Waarom had hij het gevoel dat zijn zoon onmogelijk echt verliefd kon zijn op deze jonge vrouw? Ze was leuk om te zien, maar Casper viel op heel andere types, voorzover hij daarvan op de hoogte was. Hij had enkele malen een vriendin gehad, mooi, maar tamelijk oppervlakkig in zijn, Simons, ogen. Dat hij dergelijke vrouwen verkeerd beoordeelde had Casper vaak tegen hem gezegd. Maar Feline was zo heel anders. Stel dat Feline verliefd werd op Casper? Dat zou niet zo vreemd zijn, Casper was een knappe, charmante vent. Daarbij was hij niet zo verlegen als zijn vader. Hij zou zeker niet aarzelen om iets met Feline te beginnen en ook niet om haar zo weer te laten vallen. Moest hij deze jonge vrouw tegen zijn zoon beschermen? Het was ook nog mogelijk dat Casper contact met haar zocht om hem, Simon, dwars te zitten. Hij zou toch nooit iets serieus beginnen met een vrouw die al een kind had? En hijzelf uiteraard ook niet. Het enige wat hij wilde was iemand in zijn leven die hem echt nodig had. Iemand die een beetje fleur in zijn bestaan bracht. Iemand die duidelijk blij was als ze hem zag, die hem vertrouwde. Hij zou als een vader voor haar willen zijn. Simon probeerde andere gedachten die ook bij hem opkwamen te negeren. Want was hij wel helemaal eerlijk? Verlangde hij niet naar warmte en intimiteit? Had hij zich al niet afgevraagd hoe het zou zijn met Feline te vrijen, te slapen en samen wakker te worden?

Hij wist heus wel dat dit laatste nooit werkelijkheid zou worden. Eigenlijk kwam het erop neer dat hij jaloers was op zijn zoon, om zijn jeugd en zijn gemakkelijke manier van omgaan met Feline. Hij gunde hem niet dat deze vrouw verliefd op hem werd. Tegelijkertijd schaamde hij zich voor die gedachten. Als Feline verliefd werd op zijn zoon en deze liet haar na korte tijd in de steek, dan kon hij er weer voor haar zijn. Of misschien wilde ze dan ook niets meer met hem te maken hebben. Het was allemaal zo ingewikkeld geworden. En het kon allemaal zo simpel zijn, dacht hij, toen hij de auto voor het hotel parkeerde. Hij deed er niemand kwaad mee als hij de vriendschap zocht van een jonge vrouw. Iedereen moest hem gewoon met rust laten.

Feline had de auto nog even nagekeken. Simon was boos, dat had ze heel goed gemerkt. Hij vond het niet prettig dat ze met zijn zoon omging. Als Simon wat minder verlegen was, dan zou hij haar claimen. Ze wilde hem niet volledig afwijzen, want ze mocht hem erg graag. En mogelijk zag ze in hem inderdaad een vaderfiguur.

Casper was een charmeur, dat had ze direct gezien. Ze zou hem zeker op een afstand houden. Toch verheugde ze zich op zaterdag. Weer eens een dag doorbrengen met een aantrekkelijke man. Het was zo lang geleden.

Die zaterdag was het redelijk weer. Weinig zon, maar niet koud. Casper kwam haar halverwege de ochtend halen. Hij was vrolijk, plaagde Heidi, vroeg Feline wat ze toch allemaal bij zich had.

Toch geen broodjes, naar hij hoopte. Er was daar volop gelegenheid om wat te eten. „Ik kan niet met mijn geld smijten," zei ze kalm.

„Ik houd je vandaag vrij," zei hij op een toon die geen tegenspraak duldde. Feline besloot het erbij te laten. Al was het soms nodig, het was allemaal zo benepen, dat gediscussieer over geld. Ze had de indruk gekregen dat Casper over meer dan voldoende financiën beschikte, evenals zijn vader. En hoewel ze zich had voorgenomen zich financieel onafhankelijk op te stellen, deze dag moest dan maar een uitzondering zijn.

„Het is jaren geleden dat ik in de dierentuin was," zei ze. „Eenmaal volwassen, kom je daar pas weer als je kinderen hebt."

Heidi genoot duidelijk. Bij sommige kooien was ze niet weg te slaan, waarbij de apen natuurlijk haar voorkeur hadden. De roofdieren vervulden haar met ontzag, terwijl ze bij de olifanten heel lang bleef staan.

„Wat vind jij zo mooi aan deze dieren?" vroeg Casper.

„Niet mooi," antwoordde het kind.

„Lelijk dan?"

Heidi schudde het hoofd. „Ook niet. Ze zijn zo... ze lijken zo... het is hier te klein voor hen," besloot ze dan. „Daar zijn ze verdrietig over, dat kun je zien."

Verrast keek Casper naar Feline. „Wat een opmerkingsgave. Deze dieren hebben inderdaad iets melancholieks. Tegelijk zijn ze majestueus. Ze waren er al lang voor wij er waren. Ik denk dat het een van de weinige diersoorten is die nog zijn overgebleven uit de oertijd. Gek, dat zo'n kind het mysterie al aanvoelt."

Feline keek hem even aan. „Juist kinderen zijn zo natuurlijk, zo puur. Het is een voorrecht een kind te mogen opvoeden," zei ze zacht.

Casper raakte even haar hand aan. „Volgens mij doe je het heel goed," zei hij vriendelijk.

Feline antwoordde niet. Ze hoopte dat hij gelijk had. Want soms was daar toch een vaag schuldgevoel. Door bij Benno weg te gaan had ze haar dochter een vader onthouden. Benno hield op zijn manier van Heidi en hij had haar nooit kwaad gedaan. En nu waren er plotseling twee mannen in haar leven, maar Heidi ging gelukkig heel natuurlijk met hen om. Feline besefte echter dat ze niet zo vrijblijvend met hen beiden kon blijven omgaan. Zelfs met Simon was dat een illusie. Hij was er dan misschien niet op uit een verhouding met haar te beginnen, hij wilde ook niet alleen opa zijn. En Casper was veel te jong om genoegen te nemen met de rol van vriend. Dit kon niet blijven duren. En als ze zag hoe haar dochter genoot, kon ze dat alleen maar erg jammer vinden. Maar goed, ze deed er maar het beste aan van deze dag te genieten.

Toen ze in het restaurant een hapje aten, merkte ze dat Casper haar af en toe zat op te nemen. Het maakte haar een beetje onzeker. „Wat kijk je?" vroeg ze.

„Je bent leuk om naar te kijken," zei hij prompt. „Ik heb de laatste tijd niemand gezien die ik zo boeiend vond om naar te kijken. Maar ik wilde je niet verlegen maken."

„Ik ben niet veel meer gewend," zei ze afhoudend. „Weet je dat je vader ook voorstelde om naar de dierentuin te gaan?" leidde ze zijn aandacht van haarzelf af.

„Hoe haalt hij het in zijn domme hoofd?"

„Wat is daar voor verkeerds aan? Hij vond dat ik er eens uit moest. Ik mag hem en ik voel me bij hem ontspannen. Datzelfde geldt voor Heidi."

„Mag ik weten waarom de weegschaal dan toch naar mijn kant is doorgeslagen?" vroeg hij koeltjes.

„Jij was eerder. Ik vroeg hem nog met ons mee te gaan, maar hij weigerde."

„Ha. Natuurlijk weigerde hij. Hij wil jou voor hem alleen, die ouwe bok. Van welke planeet kom je, Feline? Het is nog erger met hem dan ik dacht."

Feline fronste haar wenkbrauwen, ze had al spijt dat ze het had verteld.

„Zo moet je niet over hem praten. Ik ben blij dat ik Simon heb leren kennen. Ik weet dat hij graag bij mij komt. Ik heb de indruk dat hij zich eenzaam voelt."

„Ha," zei hij voor de tweede keer. „Zo begint het meestal, niet? Iemand is eenzaam in zijn huwelijk. Voor jij op het toneel kwam was er niks mis met het huwelijk van mijn ouders."

„Misschien heb je bepaalde dingen niet willen zien," zei ze koppig.

Hij opende zijn mond om haar van repliek te dienen, maar sloot deze weer toen hij Heidi's ernstige blik opving. Het kind voelde heel goed aan dat de sfeer wat gespannen was en dat wilde hij niet.

Op rustige toon zei hij even later: „Mijn vader is een romanticus. Hij staat soms niet met beide benen op de grond. Het is goed dat hij mijn moeder heeft die hem bij de les houdt. Ik geef toe, zij is een zakelijk type dat de touwtjes in handen heeft. Het is al een wonder dat hij nooit is vreemd gegaan. Een type als hij..."

„... Is dus toch trouw," vulde ze aan.

„Ik heb tenminste nooit iets gemerkt. Maar mijn moeder is een type dat iets dergelijks met de mantel der liefde zou bedekken. Het feit dat hij met jou omgaat heeft ze overigens wel verteld."

„Ze zoekt er meer achter dan nodig is. Zullen we eens gaan?" zei ze, opstaand.

„Dit gesprek bevalt je niet. Vertel me dan eens over je werk. Hoe houd je bijvoorbeeld een groep met moeilijke kinderen in het gareel?" Ze hoorde aan zijn stem dat hij werkelijk geïnteresseerd was. Terwijl ze langzaam verder slenterden en stilstonden waar Heidi stopte, begon ze te vertellen. „In het algemeen heb ik redelijk overwicht. Maar er zijn er enkelen bij die moeilijk te hanteren zijn. Kort geleden bedreigde een van hen mij met een mes."

„Feline! Hij is toch van school gestuurd, hoop ik."

Ze knikte. „Maar niet met mijn goedvinden. Ik weet hoe ongelukkig dat jong is en wil het nog een keer met hem proberen."

„Hij is dus weer terug. Allemaal idealisme, wat nergens toe leidt," mopperde hij.

„Ik ben heus geen doetje. Ik kan erg boos worden," zei ze.

Hij herinnerde zich het incident met de ruitenwissers en glimlachte even. „Heb je nu geen last meer van die jongen?" vroeg hij.

Ze aarzelde. „Er zit zoveel woede in hem. Hij is een beetje… eh… broeierig. Maar volgend seizoen gaat hij naar een andere school. Ik wist dat het niet gemakkelijk zou zijn. Ik heb ervoor gekozen dit werk te doen. Zeer moeilijk lerende kinderen hebben al het etiket dat ze problemen kunnen geven. Moet je het dan bij het eerste incident al opgeven? Vertel me nu over jouw werk. Jij komt met je reportages misschien wel in aanraking met gevaarlijke vrouwen." Het klonk plagend.

„Ik kom in aanraking met jaloezie, achterdocht en gemene streken. Maar ook met echt talent, met vriendschap en loyaliteit."

„Dat moet boeiend zijn."

„Vrouwen zijn in het algemeen interessant. Maar ik houd me op een afstand."

„Je meent het," plaagde ze.

Hij bukte zich naar Heidi die pruilde dat ze nu erg moe was. Zonder er verder woorden aan te verspillen tilde hij haar op zijn schouders. „Zo beter? Nu kun je alles heel goed zien."

Heidi knikte ijverig, wat hij niet kon zien. Het kind lachte stralend naar haar moeder.

„Zit ze zo goed?" vroeg hij.

Feline knikte. „Ik kan ook een wandelwagen halen."

„Waarom? Het gaat prima zo. Ik vind het leuk."

Feline kreeg een warm gevoel van binnen toen ze naar hem keek. Hij was aantrekkelijk en hij leek zich echt te amuseren. Ze vertelde zichzelf dat ze iedereen die aardig was voor haar dochter graag zou mogen. Toch moest ze steeds naar hem kijken. Soms ving ze zijn blik op, geamuseerd en soms met iets anders. Zo, of hij haar werkelijk boeiend vond. Toen zei hij, alsof er geen pauze was geweest: „Als ik met vrouwen die ik tijdens mijn werk tegenkom iets zou beginnen, zou ik mijn werk niet goed kunnen doen. Ik heb altijd geprobeerd dat te voorkomen."

„En is het gelukt?" vroeg ze.

„Meestal wel. Tegenwoordig maak ik ook veel reportages voor tijdschriften over huis en tuin. Die verschijnen er steeds meer. Ik heb er ook weleens over gedacht mij in het buitenland te vestigen. Engeland, Frankrijk, daar zijn nog veel meer mogelijkheden."

Ze negeerde het gevoel van teleurstelling dat haar overviel, vroeg verder naar zijn werk en vertelde op het laatst ook over Benno. „We gingen al snel samenwonen. Te snel misschien. Maar ik was alleen, had geen familie en was in een soort leegte terechtgekomen na de dood van mijn moeder. Benno had problemen met zijn vader. Zijn ouders waren allang gescheiden en hij woonde bij hem. Hij was een jongen die nooit behoorlijke aandacht en verzorging had gekregen."

„Dan was hij bij jou aan het goede adres. Jij had de zorg voor je moeder moeten loslaten en toen kwam hij op je pad," begreep Casper.

„In het begin was hij een bijzonder lieve jongen. Ik hield van hem en hij van mij."

„Je wilde voor hem zorgen en dat zag je aan voor liefde," meende hij te begrijpen.

„Ik was tweeëntwintig en geen kind meer," antwoordde ze kalm. „Ik kon die zaken heel goed scheiden. Dat ik in verwachting raakte was geen toeval. Benno was dol op Heidi. Maar na enige tijd veranderde hij. Achteraf denk ik dat we te veel thuiszaten. Hij miste zijn vrienden. Ik zei hem alleen te gaan, maar toen begon hij te drinken. Soms liep dat uit de hand. Ik was niet van plan mij te laten slaan. Toen dat enkele keren was voorgekomen ging ik bij hem weg. Ik kon deze flat via een collega huren. Het probleem is dat

Benno niet kan accepteren dat ik ben weggegaan. Hij voelt zich mislukt en geeft mij daarvan de schuld. Ik heb soms medelijden met hem, maar ik houd niet meer van hem. De laatste tijd is hij wel erg agressief en daarom ben ik bang voor hem. Hij wil Heidi om de week bij zich hebben, maar dat durf ik niet aan. Als hij het in zijn hoofd haalt om naar de kroeg te gaan, neemt hij haar misschien mee, of, nog erger, laat hij haar alleen thuis. Maar als vader heeft hij het recht om zijn kind te zien."

„Ik denk dat hij dat recht wel heeft verspeeld sinds de laatste confrontatie met jou," zei Casper. „Trouwens, het lijkt me terecht dat jij je dochter niet aan een zuipschuit wilt toevertrouwen. Woont hij op zichzelf?"

„Hij woont in een flat met nog iemand. Hij is verkoper in een winkel voor elektronica. Hij is heus geen crimineel."

„Nou, ik vind zo'n aframmeling die hij jou toediende toch dicht bij crimineel gedrag komen."

Feline zweeg. Ze had nog altijd medelijden met Benno. Ze wist van zijn eenzame jeugd. Daarbij voelde ze zich ook schuldig. Ze had hem immers in de steek gelaten. Althans, zo zag hij het.

„Gaan we nog een keer naar de aapjes, mam?" Ze glimlachte naar haar dochter. Voor vandaag moest ze alle problemen van zich afzetten en alleen maar genieten. Van de stralende ogen van Heidi en van het gezelschap van een knappe man. Casper schonk weer alle aandacht aan haar dochter, die schaterde om de capriolen van een aap.

7

De dag verliep verder heel plezierig en eenmaal thuis leek het heel natuurlijk Casper te vragen nog mee te gaan naar binnen. Het leek ook gewoon dat hij Heidi nog even voorlas voor ze naar bed ging.

Halverwege viel ze met haar hoofd tegen hem aan in slaap. „Ik leg haar in bed," fluisterde hij.

Het kind was al in pyjama en Casper legde haar voorzichtig neer, de knuffel dicht tegen haar aan. Toen ging hij opzij en liet het instoppen aan Feline over. Ze kuste haar dochter en keek nog even naar het slapende kind. Heidi had een heerlijke dag gehad, evenals zijzelf. Ze had zich compleet gevoeld, of ze een echt gezin waren.

„Ik wil je bedanken voor vandaag," zei Feline even later. „Heidi en ik hebben ervan genoten."

„Ik ook," zei hij eenvoudig. „We moeten dit nog maar eens herhalen, vind je niet?"

Ze beet op haar lip.

„Wil je niet?" vroeg hij, haar aankijkend.

„Jawel. Maar ik wil Simon niet voor het hoofd stoten."

„Hou op, zeg. Het wordt tijd dat jij eens gaat doen wat je zelf wilt. Je offerde je al enkele jaren op voor de verzorging van je moeder en…"

„Daar heb ik geen spijt van," viel ze hem in de rede.

„Goed. Toen offerde jij je op voor een jongeman die in feite niet volwassen was. En nu zou je jezelf weer wegcijferen vanwege mijn vader. Het is te gek voor woorden. Als hij naar de dierentuin wil, gaat hij maar met mijn moeder." Hij grinnikte even om het idee.

Feline zei niets. Simons vriendschap betekende veel voor haar. Maar dat kon ze niet aan zijn zoon uitleggen. „We zien wel. De zomer moet nog beginnen. Je hoeft je heus niet verplicht te voelen om ons op sleeptouw te nemen. Ik kan ook alleen iets met Heidi ondernemen, ik heb een lange vakantie."

„Ik voel me niet verplicht. Hou op met jezelf te verontschuldigen. Ik was vandaag uit met een mooie vrouw. Ik vond het bijzonder plezierig."

Hij stond op en zij ook. Terwijl hij voor haar uit de gang inliep bleef hij plotseling staan en sloeg zijn armen om haar heen. „Niet doen," protesteerde ze zwakjes.

Ze probeerde hem weg te duwen, eerst omdat ze aan Simon dacht en daarna energieker, omdat ze aan Casper dacht en zich afvroeg hoe het zou zijn als hij haar kuste.

Hij hield haar gezicht tussen zijn handen. „Kijk me aan."

„Ik kijk je aan."

„Niet waar. Je kijkt naar mijn kin. Heb ik me soms niet goed geschoren?"

Ze begon te lachen en toen kuste hij haar. Even gaf ze zich aan hem over, maar toen begon ze te worstelen om los te komen. Hij liet haar zo plotseling gaan dat ze bijna haar evenwicht verloor.

„Ik ben echt niet van plan om voor een simpele zoen een vechtpartij te beginnen," was zijn droge commentaar. Waarna hij de deur opende en deze nadrukkelijk achter zich sloot.

Feline stond doodstil in de gang. O, ze wilde wel. Ze

wilde wel meer ook dan een simpele zoen. Maar ze was bang zich te veel te laten gaan. Casper was een aantrekkelijke man en mogelijk was het voor hem alleen een spel.

„Ik wil niet dat hij je ongelukkig maakt," had Simon gezegd.

Nu moest ze niet gaan overdrijven. Het was maar een zoen. Het zou niet meer voorkomen, besloot ze.

Wat later op de avond belde Simon haar op. „Was het een leuke dag?" vroeg hij vriendelijk.

„Ja, we hebben ervan genoten," antwoordde ze.

Het bleef even stil. Toen vroeg hij: „Wat hebben jullie zoal gedaan?"

„Gedaan? Nou ja, wat doe je in een dierentuin? Wandelen en kijken."

„Ja. Ja natuurlijk. Ik kom morgen wel even langs."

„Dat hoeft niet," zei ze haastig. „Ik heb morgen iets te doen. Ik bel je wel."

Ze legde de hoorn neer en vroeg zich af wat haar mankeerde. Wilde ze Simon niet zien? Was ze soms bang dat hij aan haar zag dat Casper haar gezoend had? En dat ze daardoor uit haar doen was? Ze vond het ook wel een beetje irritant dat hij gelijk alweer belde. Het kon belangstelling zijn, maar ze voelde het als controle. Als de ene stalker is opgepakt, verschijnt de andere aan de horizon, dacht ze. Maar zo ver zou ze het niet laten komen.

„Casper heeft haar van streek gemaakt," zei Simon.

„Wat een onzin. Dat meisje kan heus wel voor zichzelf zorgen," antwoordde Paula.

„Ik hoorde het aan haar stem. En ze wil mij niet zien

morgen."

„Wordt ze eindelijk verstandig."

„Daar zit Casper achter," zei Simon, zonder dat het hem scheen op te vallen dat Paula een opmerking maakte.

„Simon, er was immers niets tussen jou en dat meisje?" Paula begon haar geduld te verliezen. Ze begon zich zelfs af te vragen of Simon soms professionele hulp nodig had. Hij raakte steeds meer geobsedeerd door die vrouw.

Tot haar opluchting dook Simon weer achter zijn krant, hoewel ze er niet zeker van was dat hij wist wat hij las. Ze geloofde inmiddels wel dat er geen sprake was van een echte relatie tussen Simon en dat meisje. Casper had haar wat dat aanging ook al gerustgesteld. Maar hij had ook gezegd: „Als je van hem houdt, moeder, dan lijkt het me verstandig als je hem dat eens een keer zegt." Dat kreeg Paula echter niet over haar lippen. Het was al zo lang geleden dat ze dergelijke dingen tegen elkaar zeiden.

Echter, heel deze toestand maakte haar erg onrustig.

Casper kwam de volgende morgen koffiedrinken, wat vaker gebeurde op zondag.

Paula was nog niet thuis uit de kerk, Simon was thuisgebleven. Casper had overigens een sleutel.

„Gaan jullie ook al niet meer samen naar de kerk?" vroeg hij zodra hij zijn vader zag.

„Niet elke zondag. Wat bedoel je trouwens met óók?" vroeg Simon korzelig. „Ga jij trouwens zelf?"

„Niet altijd. Maar jullie beiden... Vind je soms dat je op de verkeerde weg bent?" Het klonk een tikje spottend, maar er was ook een ondertoon van ernst te horen.

„Nee, dat vind ik absoluut niet," ging Simon er serieus op in. „Het kan niet verkeerd zijn om iemand de helpende hand toe te steken. En verder wilde ik dat je een ander onderwerp aansneed. Het gaat tegenwoordig altijd over hetzelfde." Hij stond op om het koffiezetapparaat aan te zetten.

Hij heeft gelijk, dacht Casper. Ze maakten er hier met z'n allen veel te veel een probleem van. Het moest maar eens klaar zijn met dat stiekeme gedoe. „Gisteren ben ik met Feline en Heidi naar de dierentuin geweest," zei hij dus maar.

„Dat heb ik gehoord. Ik belde haar gisteren en ze leek mij een beetje over haar toeren."

Casper keek zijn vader aan tot deze zijn ogen neersloeg. „Jij bent echt niet te geloven. Klonk ze overstuur, zei je? Dat was dan vast omdat jij haar ter verantwoording riep. Wie denk je dat je bent? Haar voogd? Trouwens dan nog, ze is ruimschoots volwassen en ze is jou geen enkele verantwoording schuldig."

„Ik wil niet dat jij haar behandelt als de eerste de beste losse scharrel. Ze heeft al genoeg meegemaakt."

„En ik wil niet dat jij haar als een verliefde schooljongen achtervolgt. Laat haar met rust."

Simon zei niets meer en toen Casper zijn gezicht zag, dacht hij: hij heeft het echt moeilijk. Maar hij zal hier toch zelf uit moeten komen. Zelfs als hij werkelijk verliefd is op Feline zal hij haar moeten loslaten, wil hij zich niet onsterfelijk belachelijk maken.

Simon dacht ongeveer hetzelfde als zijn zoon. Hij had gemerkt dat er in het hotel werd gepraat. Een vaag gevoel van onvrede maakte hem somber. Het was als een hulpeloos tasten langs een muur in het donker. Er was geen doorgang te vinden. Hoe had het zo ver kunnen komen? Waar was zijn gezonde verstand gebleven? Het leek wel of hij niet wakker kon worden uit een droom. Ik zal geen contact meer opnemen met Feline, besloot hij. Casper zou wel voor haar zorgen. Maar wie was er voor hem? Paula, die straks weer thuiskwam met verhalen over allerlei mensen die ze gesproken had? Die mogelijk iets vertelde uit de preek? O, ze maakte hem geen verwijten dat hij niet mee was geweest. Dat deed ze nooit. Maar juist dat deed Simon denken dat het haar totaal niet interesseerde wat hij uitvoerde.

Was hij een kind dat behoefte had aan een arm om zijn schouders? Paula was wat dat aanging nooit zo toeschietelijk geweest. Feline echter... Met geweld dwong hij zijn gedachten een andere kant op.

De week daarop was Feline weer op school. De kneuzing in haar gezicht was nog niet helemaal genezen en natuurlijk vroegen de kinderen ernaar. Sommigen kwamen dichterbij en bestudeerden haar gezicht. Of ze naar een schilderij keken. Ook Max, de jongen die haar indertijd met een mes had bedreigd. „Hoe is dat gebeurd?" vroeg hij.

„Iemand gaf mij een dreun," zei ze, niet op haar gemak bij zijn broeierige blik. Met een vinger raakte hij de plek aan en drukte. Ze wist dat hij haar pijn wilde doen, maar gaf geen krimp.

Later, toen iedereen weer op zijn plaats zat, vroeg ze zich af of ze toch niet had moeten meewerken toen de directie Max van school wilde sturen. Hij had duidelijk een hekel aan haar. Ze wist de reden niet, maar het was geen prettig idee.

Ze was die dag wat later klaar dan anders, doordat verschillende kinderen haar iets wilden vragen.

In het kinderdagverblijf waar Heidi de dag doorbracht waren ze ervan op de hoogte dat het weleens uit kon lopen. Ze parkeerde haar auto voor het gebouw en keek om zich heen. Over niet al te lange tijd zouden de kinderen weer buiten kunnen spelen. Al was het maar een klein park, ze kregen dan toch wat frisse lucht. Ze liep nu snel het gebouw binnen.

De leidster glimlachte toen ze haar zag. „We hebben er weer een leuke dag van gemaakt," zei ze opgewekt. Ze keek om zich heen. „Net was ze nog hier. Ze heeft zich zeker verstopt. Heidi!" Haar heldere stem klonk boven alles uit. Er verscheen echter geen Heidi. Feline liep het vertrek door en keek in de gang en de toiletten. Ze opende de deur naar buiten, maar het terrein lag er verlaten bij, het hek was dicht. „Waar kan ze zijn?" vroeg ze de leidster, nu duidelijk ongerust.

„Daar begrijp ik ook niets van. De kinderen kunnen nergens heen. Hangt haar jas er nog?"

Het rode jasje was nergens te vinden.

„Nu moeten we even verstandig overleggen," zei de leidster. „Denk je dat Heidi haar jas zou aantrekken en jou alleen tegemoet zou gaan?"

„Dat kan ik me niet voorstellen," zei Feline zenuwachtig. „Ze weet dat ik met de auto ben. Is er iets gebeurd waardoor ze van streek is geraakt?"

„Zeker niet. Alles verliep vandaag juist heel soepel. Kan iemand anders haar hebben opgehaald?"

„Maar dan toch niet zonder jou in te lichten. Ik kan trouwens niemand bedenken die dat zou doen." Even dacht ze aan Simon, of Casper. Met hen zou Heidi zonder problemen meegaan. Maar die zouden zoiets nooit doen zonder haar medeweten.

„Haar vader?" probeerde de leidster een andere mogelijkheid.

Zou Benno werkelijk zover gaan om haar dwars te zitten? Hij werkte tegenwoordig in de horeca, dus hij was regelmatig overdag vrij. De ander, die haar aarzeling merkte, zei: „Misschien is het verstandig als je eerst contact met hem opneemt en thuis gaat kijken. Zo gauw je iets weet, bel me dan."

Feline liep eerst het parkeerterrein over, riep Heidi's naam en keek achter geparkeerde auto's. Ze kreeg steeds meer het gevoel dat Benno hierachter zat. Ze had de leidster niet gevraagd of de kinderen soms even alleen waren geweest. Ze ging ervan uit dat zoiets nooit gebeurde. Als ze opgehaald was, moest het wel iemand zijn die haar dochter kende, anders was het kind nooit meegegaan. Dat hoopte ze althans. In hoeverre zou een kind van vier jaar stevig in haar schoenen staan als haar iets leuks in het vooruitzicht werd gesteld? Ze moest ophouden. Het was welhaast zeker dat Benno hierachter zat en hij zou het kind nooit kwaad doen. Ze wist waar hij woonde, dus reed ze regelrecht naar het flatgebouw. Ze nam de lift om geen tijd te verliezen en drukte even later op de bel. Het duurde even en driftig belde ze voor de tweede maal. Toen werd de deur geopend door een jonge, er slaperig uitziende blonde vrouw. „Is Benno thuis?" vroeg ze.

„Ja. Maar ik weet niet of hij..." Ze duwde het meisje zonder meer opzij en beende naar binnen. Benno zat aan tafel, waarop enkele lege glazen en bierflessen stonden.

„Nee maar, waar heb ik dat aan te danken?" Hij kwam half overeind. Feline realiseerde zich ineens dat ze bang voor hem was en dat de littekens van zijn hardhandige optreden nog te zien waren. Ze wilde die angst echter niet toelaten. „Waar is Heidi?" vroeg ze fel.

„Heidi? Hoe moet ik dat weten? Ze woont bij jou. Waarom kom je dat aan mij vragen?"

„Omdat ze verdwenen is uit de crèche. En omdat ik niemand weet die haar daar weg zou halen, behalve jij."

„Je vergist je. Ik weet niets van Heidi. Zij, Judy, is sinds gisteren bij me. We zijn de deur niet uit geweest." Hij grinnikte dubbelzinnig.

Het feit dat Benno een vrouw bij zich had overtuig-de Feline er min of meer van dat hij de waarheid sprak.

Benno stond nu op. „Waar kan dat kind zijn? Jij ook altijd met je belangrijke baan. Zorg voor dat kind. Je hebt haar toch bij je, omdat je mij dat niet toever-trouwt? Zal ik je helpen zoeken?"

„Nog niet." Feline wist niet of ze hem op dit moment in haar buurt kon verdragen. „Ik ga nu eerst naar het politiebureau."

„Doe dat. En houd contact."

Even later reed Feline terug naar het gebouw van de kinderopvang. Alle kinderen waren nu weg, maar de leidster was er nog steeds. Feline schudde het hoofd toen ze haar hoopvolle blik opving.

„Waar kan ze toch zijn? Ik weet nog dat ik naar het

138

toilet ging en dat Heidi mij volgde in de gang met een tekening die ze gemaakt had. Toen ik terugkwam ben ik de speelruimte weer ingegaan en toen was jij er zo." „Er is dus een minuut of vijf geen toezicht geweest." „Niet in de gang, dat realiseerde ik mij later. De andere leidster was bij de kinderen. Maar ik ging ervan uit dat Heidi weer was teruggegaan. Misschien ben ik haar die paar minuten even uit het oog verloren. Ik houd niet constant alle kinderen in de gaten. Wat ik bedoel is, je ziet een algemeen beeld en als er iets verandert, valt dat onmiddellijk op."

„In principe zou iemand Heidi dus uit de gang hebben kunnen meenemen," drong Feline aan.

„Het zou kunnen. Maar die persoon moet dan wel op de uitkijk hebben gestaan. Vaak gaan we nog even naar buiten voor de moeders komen. Misschien ging die persoon daarvan uit. Was het hem niet per se om Heidi te doen. Wilde hij gewoon een kind."

De twee vrouwen keken elkaar aan en gedachten aan kinderlokkers en pedofilie en nog erger schoten door Felines hoofd. „Ik ga nu naar de politie," zei ze zacht.

De ander knikte. Bezorgdheid stond ook in haar ogen te lezen.

„Ik wil nu naar mama," huilde het kind.

„Nu moet je ophouden met blèren en eens goed luisteren." De jongen ging tegenover haar zitten en Heidi week wat achteruit. „Je gaat heus weer naar je mama toe. Maar vandaag niet."

„Ik wil nu," drong het kind aan. „Ik vind jou niet aardig."

„Ik jou ook niet. En je moeder vind ik ook niet aardig. Ik denk dat ze al naar je aan het zoeken is."

Het kind keek om zich heen of ze ergens een uitweg zag. Maar de deur van de houten schuur was stevig afgesloten. Het optrekje hoorde bij een oud clubgebouw dat niet meer in gebruik was. Ze zullen hier niet snel zoeken, dacht de jongen. Het gebouw lag aan de buitenkant van de stad, vlak bij een industrieterrein. Als het kind ging schreeuwen, was het echter mogelijk dat een toevallige voorbijganger haar hoorde. Het was dus zaak dat zij zich kalm hield. Hij hield haar een doos voor waarin een chique aangeklede barbiepop lag. „Kijk eens, daar mag jij mee spelen."

Het kind duwde de hand met de doos weg. „Ik hoef hem niet."

„O nee? Ik heb deze anders wel speciaal voor jou gepikt. Maar je bent een verwend nest. Je hebt alles, weet je dat wel? Een moeder die altijd voor je zorgt. En een huis vol speelgoed. Dat heb ik nooit gehad. Ik woon in een huis met vreemde kinderen omdat mijn moeder mij niet meer wil hebben. En jouw moeder, ze wilde mij van school wegsturen. Het wordt tijd dat zij eens een lesje leert, begrijp je. En jij mag ook gerust weten dat niet voor alle kinderen altijd moeders klaarstaan."

Heidi staarde hem met grote ogen aan en de jongen duwde zijn vuisten tegen zijn gezicht. Ineens zag hij duidelijk in, dat dit kind het ook allemaal niet kon helpen. Niet dat hij zo'n ellendig leven had. Evenmin als haar moeder daar iets aan kon veranderen. Maar die moeder kon hem aankijken of ze medelijden met hem had. En dat hoefde echt niet. Hij kon voor zichzelf zorgen.

„Wil je iets eten?" vroeg hij het kind.

Heidi schudde het hoofd. „Ik wil naar mama."

„Je gaat heus weer naar je moeder. Maar nu niet. Vandaag blijven we hier. Ik kan ook niet naar mijn moeder. Die wil mij niet."

„Ga dan mee naar mijn mama. Die vindt dat vast goed."

„Nou, dat denk ik toch niet. Vind je die pop niet leuk?"

„Jawel. Maar ik vind het hier niet leuk."

„Ik ga even weg," zei de jongen dan.

„Nee," riep het kind. „Je mag niet weggaan. Ik ben bang alleen."

De jongen nam het kleine meisje met de donkere ogen en de grappige blonde vlechtjes enigszins verbaasd op. „Ben je niet bang als ik erbij ben?"

Het kind schudde het hoofd. De jongen verwonderde zich daarover. Hij had het meisje naar buiten gelokt met wat snoep, ze was al bezig haar jas aan te trekken omdat mama zo zou komen. Het plan was spontaan bij hem opgekomen. Hij had haar vliegensvlug achter op zijn fiets gezet en was hierheen gereden. En nu vroeg hij zich af hoe het verder moest. In het tehuis zouden ze hem nog niet missen, hij zwierf wel vaker lang op straat. „Zal ik je een verhaaltje vertellen?" bood hij aan.

„Mag ik daarna naar mama?"

„Daar moet je nu niet over zeuren. Ik vertel je een verhaal over draken en rovers en over prinsen en prinsessen…"

„Mag ik dan naast je zitten?"

„Waarom?"

„Dat hoort zo als je een verhaal vertelt."

„Nou, doe dan maar," bromde hij niet op zijn gemak.

Het kind leunde tegen hem aan en hij begon te vertellen. Een verhaal dat steeds fantastischer werd en waarvan hij op den duur niet meer wist hoe hij eruit moest komen. Maar dat gaf niet, want het kleine meisje was met haar duim in haar mond tegen hem aan in slaap gevallen. De jongen kreeg een vreemd gevoel over zich. Dat kleine kind vertrouwde hem. En dat terwijl hij haar had meegenomen en in deze schuur had opgesloten. Hij was gewoon stom geweest. Hij kon haar natuurlijk gewoon terugbrengen, hij had haar geen kwaad gedaan. Maar grote mensen vertrouwden hem nooit. Ze zouden hem van school sturen en huisarrest geven. Hij keek op het kind neer en raakte voorzichtig het kleine handje aan. Ze bewoog even, maar bleef rustig doorslapen.

Feline had inmiddels de politie ingelicht. Een van hen was na haar verhaal naar Benno's huis vertrokken om hem op te halen voor een verhoor. Feline had Simon gebeld, maar die was niet te bereiken.

Toen had ze Casper geprobeerd, die wel heel snel bij haar was. Toen hij de angst op haar gezicht zag terwijl ze vertelde dat haar dochter weg was, trok hij haar tegen zich aan. „Het komt wel goed. We vinden haar wel. Vertel eens wat je inmiddels hebt ondernomen?"

Feline vertelde hem van haar bezoek aan Benno en haar speurtocht in de buurt van de crèche.

„Is het mogelijk dat ze jou vast tegemoet is gegaan en verdwaald is?" opperde hij.

„Heidi weet dat ik haar kom halen. Ze zou nooit weglopen."

„Misschien was er iets vervelends gebeurd. Was ze

geplaagd of zo," opperde hij een andere mogelijkheid.

„Haar juf zei dat alles goed was gegaan."

„Weet zij veel. Kan zij al die kinderen stuk voor stuk in het oog houden? Laten we in elk geval gaan zoeken. Hier zitten en niets doen levert ook niets op."

Ze stapte even later bij hem in de auto. Casper keek van opzij naar haar. Het was of ze naar binnen gekeerd was, of ze helemaal uit angst bestond. „Het komt wel goed," zei hij nog eens.

Ze draaide haar hoofd naar hem toe. „Hoe weet je dat zo zeker? Er zijn genoeg gevallen bekend waarbij het niet goed kwam. Benno had gelijk. Ik moet zo nodig werken en laat de zorg voor mijn kind aan anderen over."

„Hou op met jezelf de schuld te geven." Hij parkeerde de auto bij het kinderdagverblijf, waar de leidster nog aanwezig was. „Kunnen we in het gebouw rondkijken?" vroeg Casper. „Misschien zit ze ergens opgesloten. Stel dat ze een vertrek is binnengegaan en de deur achter haar is dichtgevallen," opperde Casper.

„Ik heb daar allemaal al naar gekeken," zei de vrouw zenuwachtig. „Hier is ze niet. Ik heb wel een moeder gesproken die vertelde dat ze een jongen was tegengekomen met een klein meisje achter op zijn fiets. Hij viel haar op omdat hij zo hard reed. Het kind droeg een rood jasje, dus het zou Heidi geweest kunnen zijn."

„Een jongen?" herhaalde Feline.

„Dat zei ze. Maar later was ze er weer niet zeker van. Misschien was het toch een volwassene."

„Kom, we gaan verder. Aan kletspraatjes hebben we niets," zei Casper kortaf.

„Kan het Simon zijn geweest?" aarzelde Feline.

„Mijn vader? Die zit zelden op de fiets. Bedoel je dat hij wraak heeft willen nemen omdat wij naar de dierentuin zijn geweest?"

„Nee. Dat is belachelijk."

„Je weet het niet. Mensen reageren soms raar. Mijn vader doet de laatste tijd vreemd. We mogen niets uitsluiten."

Feline dacht aan Simons rustige, vriendelijke optreden, aan zijn bezorgdheid om haar, en schudde het hoofd. Dat hij erbij betrokken was leek haar onmogelijk.

Uiteindelijk gingen ze toch weer terug naar Felines flat. Casper belde de politie en hoorde dat er twee mensen in de omgeving van de crèche aan het zoeken waren. Daarna belde hij zijn vader in het hotel. Toen hij hem aan de lijn kreeg, zei hij kortaf: „Met Casper. Jij bent toch niet Heidi in de crèche gaan ophalen?"

„Hoe kom je daarbij?"

Casper vertelde van Heidi's verdwijning.

„En je denkt dat ik haar heb ontvoerd?" vroeg Simon verontwaardigd.

„Ik denk niets, ik vroeg het alleen maar," zei Casper ongeduldig.

„Ik heb zelden een stommere vraag van jou gehoord. Geef me Feline even."

„O Simon, ik ben zo ongerust," waren haar eerste woorden.

„Dat begrijp ik. Zal ik naar je toe komen?"

„Dat hoeft niet. Je kunt toch niets doen." Ze verbrak al snel de verbinding.

Simon staarde voor zich uit. Waar kon dat kind zijn gebleven? Hij kon hier niet rustig blijven zitten afwachten.

Even later zat hij in de auto met de bedoeling zomaar wat rond te rijden. Misschien was het kind verdwaald. Terwijl hij in de auto zat kon hij toch de gedachte aan een ontvoering niet van zich afzetten. Felines ex-vriend was de eerst aangewezen persoon om zoiets te doen.

Maar die was het niet, volgens Feline. Was er dan iemand anders die Feline dwars wilde zitten? Hij wist zo weinig van haar af. Hoe durfde Casper hem te vragen of hij het kind had meegenomen? Dacht hij soms dat hij ze niet allemaal meer op een rijtje had? Alleen omdat hij wat aandacht schonk aan een jongere vrouw? Hij zou hem eens flink de waarheid zeggen. Maar Casper was geen kind meer.

Terwijl hij rondreed in een van de buitenwijken van de stad zag hij ineens de jongen met het kind aan de hand. Hij remde vlak bij hen en sprong snel uit de auto, erop bedacht dat de jongen zou wegrennen. Maar er gebeurde niets van dien aard.

„Wat heeft dat te betekenen?" vroeg hij streng.

„Simon!" riep het kind, duidelijk blij om hem te zien. Ze bleef echter de hand van de jongen vasthouden.

„Wat doe je met dat kind?" vroeg Simon streng.

„Ik breng haar terug naar haar moeder."

„Goed, stap dan maar in."

Max aarzelde. Hij zat nooit in een dergelijke dure auto. Het dashboard fascineerde hem. „Mag ik voorin zitten?" vroeg hij kinderlijk.

„Nu niet. Ga maar achterin zitten bij Heidi. Jij hebt haar tenslotte gevonden."

Max beet op zijn lip en zei niets. Als hij zou zeggen

dat hij het kleine meisje had opgepikt omdat ze verdwaald was, zouden ze hem dan geloven? Het leek hem niet waarschijnlijk. Heidi zelf was er ook nog. Hij had beter niet in de auto kunnen stappen. Wie was deze man en zou hij Heidi werkelijk naar huis brengen? Heidi kende hem, herinnerde hij zich dan. Hij kon de kwestie dus maar beter onder ogen zien.

Simon reed regelrecht naar Felines flat. „Ga jij ook maar mee naar binnen, dan kun je vertellen waar je Heidi hebt gevonden," zei hij tegen de jongen. Max twijfelde nog even of hij zou wegrennen maar deed het toch niet. Ze gingen samen in de lift en even later drukte Simon op de bel, waarop de deur direct werd geopend. Feline slaakte een uitroep, tilde haar dochter op en drukte haar stijf tegen zich aan. „Liefje, waar was je nou? Ik was zo ongerust."

„Deze jongen heeft haar gevonden," zei Simon.

Feline zag hem nu pas. „Max?" aarzelde ze.

„Ik ben niet gevonden," liet Heidi zich horen.

„Kom nu eerst maar eens zitten allemaal," zei Casper.

Doe vooral net of je thuis bent, dacht Simon wrevelig, maar vond zichzelf toen kinderachtig.

„Deze jongen was bij school. Ik mocht meerijden op zijn fiets en we zijn in een donkere schuur geweest. Ik huilde, want ik moest daar eerst blijven en toen weer niet."

Feline werd heel bleek. „Max, wat heb je met haar gedaan?" fluisterde ze.

„Ja, laat maar eens horen. Denk erom, ik heb zo de politie gebeld," zei Casper streng.

„Je hoeft hem niet zo hard aan te pakken. Hij bracht

het kind tenslotte naar huis," zei Simon.

„Na haar eerst te hebben meegenomen. Wat heb je met haar gedaan?" vroeg Casper nu op zijn beurt aan Max.

Max keek naar Feline en zag haar verontruste blik. Had het zin dat hij de waarheid vertelde? Ze vertrouwden hem immers toch niet. „Ik wilde haar braden en opeten, maar ik had mijn mes vergeten," zei hij ruw.

Casper greep hem bij de arm. „Hou je een beetje in. Vertel de waarheid."

„Jullie geloven me toch niet."

„Hij was aardig," zei Heidi plotseling met een klein stemmetje. „Hij zei dat zijn moeder hem niet wil. En toen zei ik dat hij wel mee mocht naar jou, mam."

Max rukte zich los en stond al bij de deur. „Ik wil hier helemaal niet blijven."

„Ik wil graag dat je nog even blijft, Max. Ik wilde al langer met je praten," zei Feline.

„Kunnen zij dan weg?" Hij wees naar de twee mannen. Feline aarzelde. Kon ze alleen blijven met deze jongen, die haar al een keer had bedreigd en die nu haar dochter had meegenomen? Aan de andere kant, ze moest hem dat vertrouwen geven. Hij was niet veel meer dan een kind.

„Gaan jullie maar," zei ze tot de andere twee. „Bedankt voor jullie hulp. Ik red het wel."

„Weet je dat zeker?" Casper keek haar doordringend aan. Ze knikte. „Oké dan, ik bel je over een uur op. En jij, ventje, als je haar of het kind iets aandoet, zal ik je weten te vinden."

„Ga nou maar mee," zei Simon ongeduldig. Even

later namen ze gezamenlijk de trap.

„Hoe wist je waar je moest zoeken?" vroeg Casper.

„Ik reed maar wat rond. Het was toeval dat ik hen zag."

„Ik vind het geen prettig idee dat ze nu alleen zijn met dat jong," zei Casper.

„Feline kan best voor zichzelf zorgen. Dat doet ze al jaren," was Simon van mening.

„Zou jij dan nu niet eens beginnen met haar los te laten?"

„Begin daar nou niet weer over. Er is niets meer tussen ons dan vriendschap."

Casper snoof, maar zei niets meer. Simon stapte na een korte groet in zijn auto en reed terug naar het hotel. Hij had voor de zoveelste maal besloten dat dit de laatste keer was geweest.

Maar nu had hij er niets aan kunnen doen. Toch zou hij zich moeten terugtrekken, nu Casper blijkbaar steeds vaker bij haar kwam. Stel dat het bij zijn zoon niet meer was dan een bevlieging? Als ze straks ongelukkig achterbleef, zou hij dan de aangewezen persoon zijn om haar te troosten?

8

Nadat Feline haar dochter nog eens uitgebreid had geknuffeld en haar had verwend met chocolademelk met slagroom, ging ze bij de twee op de bank zitten. Ze had Max hetzelfde gegeven. Hij werkte de chocolademelk in enkele tellen naar binnen en veegde toen zijn mond af met zijn mouw.

„Wil je een servet?" vroeg Heidi. Feline moest lachen. Haar lessen hadden toch meer effect dan ze had gedacht.

Max reageerde er niet op. Hij propte zijn koekje naar binnen of dit het eerste was wat hij in dagen had gekregen. „Wil je me nu eens vertellen wat er echt is gebeurd?" vroeg Feline. „Kende je Heidi?"

Hij knikte. „Ik wist van wie ze was. Ik sta weleens bij de crèche te kijken als de kinderen worden afgehaald."

Hij ziet de ouders die hun kind blij verwelkomen, hij ziet de kleuters opgewekt met hen meegaan, en hij voelt zich alleen, dacht Feline.

„Ik stond daar dus en zag Heidi in de gang. Ze wilde jou tegemoet gaan. Toen zette ik haar achter op mijn fiets en nam haar mee."

„Maar waarom? Snapte je niet dat ik vreselijk ongerust zou worden?"

Hij haalde de schouders op. „Bij mij thuis is nooit iemand ongerust. In het tehuis ook niet. Ze weten daar dat ik weleens op straat slaap, maar ze komen mij nooit zoeken."

Feline voelde dat ze medelijden kreeg. „Wat wilde je met Heidi?" vroeg ze niettemin.

„Ik wilde niets met haar. Ik had geen plan of zo. Ik heb een poosje met haar in de schuur van dat oude clubgebouw gezeten en toen dacht ik: wat doe ik hier eigenlijk? Toen besloot ik haar terug te brengen."

„Hij vertelde over kastelen en draken en ik heb geslapen," vertelde Heidi nu. En tegen de jongen: „Wil je met mijn lego spelen?"

„Daar wil Max vast wel een keer voor terugkomen," zei Feline. „Maar nu moet hij naar huis. Ik zal de politie bellen dat Heidi terecht is. Mogelijk willen ze nog met jou praten."

„Ben je niet kwaad?" vroeg Max duidelijk verbaasd.

„Ik ben op dit moment alleen erg opgelucht dat Heidi terecht is. En als je morgen op school bent, moeten wij eens praten, vind je niet?"

„Stuur je me niet van school?"

„Ik ben de baas niet. Voorlopig vertel ik dit niet op school."

Duidelijk opgelucht vertrok Max. Feline bedacht dat ze vast geen problemen meer met hem zou hebben. Kon ze maar iets voor dit kind doen. Hij zwierf maar wat rond. Hij zou een gemakkelijk doelwit zijn voor drugsdealers en dan in het criminele circuit terechtkomen.

Ze kon natuurlijk Simon om raad vragen over hoe ze deze kwestie moest aanpakken. Casper leek haar daarvoor niet de geschikte persoon. Hij was opvliegend en Max was zeker geen gemakkelijk kind om mee om te gaan.

Intussen genoot ze van Heidi's lijfje tegen zich aan. Ze had het gevoel haar nooit meer te willen loslaten. „Ben je bang geweest?" vroeg ze zacht.

„Eerst wel. Het was donker in die schuur en hij wilde weggaan. Maar toen mocht ik naast hem zitten."

Ik zal toch echt met Max moeten praten, dacht Feline. Goed, hij had Heidi geen kwaad gedaan, althans niet lichamelijk. Maar hij had zich onverantwoordelijk gedragen. Heidi was nog maar vier jaar. Hij had natuurlijk ook nooit iets geleerd in dat opzicht. Hij kwam alleen voor zichzelf op.

Ze begon te begrijpen dat hij in zekere zin jaloers was op haar leven met Heidi.

Toen de telefoon ging glipte Heidi uit haar arm en ging naar haar speelhoek. Ze lijkt vooralsnog niets te hebben overgehouden aan haar avontuur, dacht Feline opgelucht.

Het was Casper die belde. „Is alles goed met je?" was zijn eerste vraag.

„Behalve dat ik een beetje moe ben van alle angst en spanning gaat het prima."

„En die jongen?"

„Hij is weg. Ik neem aan dat hij naar het tehuis is gegaan waar hij woont."

„Vind je niet dat we de politie over hem moeten inlichten?"

„Nee, Casper, dat wil ik niet. Hij is geen misdadiger. Hij is ongelukkig en eenzaam."

„Hoeveel criminelen zijn er niet die een ongelukkige jeugd gehad hebben? Die in een tehuis zijn opgegroeid? Wie zegt mij dat dit niet de eerste is van een reeks misdrijven?"

„Ik wil niet dat jij je er verder mee bemoeit," zei ze, boos wordend. „Ik regel dit zelf. Ik heb al jaren mijn eigen leven geregeld."

„Je bent zelf begonnen eerst mijn vader en toen mij erin te betrekken." Casper wilde gelijk die woorden wel terughalen. Hij wilde immers bij haar leven betrokken zijn. Het was juist zo frustrerend dat ze hem voortdurend op een afstand hield. De gedachte dat ze op vertrouwelijke voet stond met zijn vader maakte hem ook kwaad.

„Het zal niet meer gebeuren," zei ze nu koel.

Hij wilde nog iets zeggen van: zo heb ik het niet bedoeld, maar ze had de verbinding al verbroken. Nijdig op zichzelf beende hij zijn kamer op en neer. Hij wilde het zichzelf wel bekennen: hij was bijzonder in deze jonge vrouw geïnteresseerd. Het was meer dan een vage verliefdheid. En dat liet hij haar merken door zich ongelofelijk bot te gedragen.

Hij is toch heel wat minder bescheiden dan zijn vader, dacht Feline boos. Het was trouwens niet waar wat hij zei. Simon was haar leven binnengekomen omdat hij ziek was en ze hem niet aan zijn lot kon overlaten. En Casper had zichzelf aan haar opgedrongen, omdat hij wilde weten wat zijn vader hier uitvoerde.

Wat later belde ze de politie om te zeggen dat haar dochter terecht was. Hoewel ze erop aandrongen dat ze de naam en het adres van de jongen zou geven, weigerde ze.

„Hij zit dus bij u op school," zei de agent, waaruit ze begreep dat ze er toch wel achter zouden komen.

Ze zou Max er de volgende dag gelijk maar op voorbereiden. Ze wilde niet dat hij dacht dat ze hem toch had aangegeven.

Benno zou nu ook worden vrijgelaten, zei de agent

nog. Even voelde ze zich onrustig. Benno zou terecht woedend zijn. Door haar schuld had hij een aantal uren vastgezeten. Stel dat hij van mening was dat hij nu een geldige reden had om haar ter verantwoording te roepen. Maar hij zou niet opnieuw geweld gebruiken, de politie kende hem nu, stelde ze zichzelf gerust.

Enkele uren later belde Simon. Na zijn vraag hoe het met haar ging, zei hij: „Ik heb eens nagedacht. Denk je dat ik iets voor die jongen kan doen?"

„Hoe bedoel je?" vroeg ze voorzichtig.

„Eens wat aandacht aan hem geven. Hem eens meenemen naar een pretpark, of samen iets gaan eten."

„Wat een lieve gedachte," zei ze spontaan.

„Ik heb het er nog niet over gehad met Paula. Ik wilde eerst met jou overleggen," zei Simon. „Jij kent hem goed, je weet vast wel wat hij leuk zou vinden."

„We moeten dat een keer bespreken," zei ze. Toen ze had neergelegd, keek ze peinzend voor zich uit. Ze moest nu niet denken dat Simon dit enkel deed om met haar in contact te blijven. Hoewel Casper het stellig zo zou zien.

Ook Simon dacht even na over zijn spontane opwelling. Als ze hier nu maar niets verkeerds achter zocht.

Bijvoorbeeld dat hij dit enkel voorstelde om met haar, Feline, in contact te blijven. Dat was meegenomen, maar de jongen had hem op de een of andere manier iets gedaan. Hij had er zo verloren uitgezien. Casper had zich hard opgesteld. Die gedroeg zich niet bepaald menslievend.

Feline was de volgende dag al vroeg op school. Ze had Heidi naar de crèche gebracht en die had even vrolijk afscheid genomen als altijd. Ze leek geen nadelige gevolgen te hebben van haar avontuur van de vorige dag. De leidsters hadden beiden iets van: dit zal ons niet meer gebeuren. Feline had het verhaal zo luchtig mogelijk gebracht. Maar het bleef natuurlijk van belang dat ze de kinderen die aan hen waren toevertrouwd niet uit het oog verloren.

Op school was Max duidelijk niet op zijn gemak en Feline besloot hem maar even in onzekerheid te laten. Het was tenslotte niet niks wat hij had gedaan.

„De politie komt vanmorgen," zei ze na een poosje.

„Dat dacht ik wel," antwoordde hij nors.

„Ik moest hen wel bellen om door te geven dat Heidi terecht was. Ik denk dat ze jou een en ander willen vragen."

„Gaan ze mij opsluiten?"

„Daar ga ik niet van uit."

Hij keek haar aan. „Ben je niet boos?"

Ze aarzelde. „Eerst wel."

„En die twee mannen? Die ene was wel woedend."

Ze knikte. „Die ander wil je eens een keer meenemen naar een dierentuin of zo."

„Hé? Waarom? Wat moet ik daarvoor doen?"

Feline schudde het hoofd. Max was opgegroeid met het gegeven dat in het leven niets voor niks werd weggegeven. „Volgens mij zou Simon dat gezellig vinden."

„Ja, dat geloof je zelf. Hij houdt zeker van jongens. Nou, mij niet gezien."

Feline verschoot van kleur. „Hoe kom je op die gedachte?"

Max haalde de schouders op. „Ik vertrouw zoiets gewoon niet."

Feline zweeg er verder over.

Die avond dacht ze nog eens over een en ander na. Gelukkig was er maar een agent in burger verschenen. Zij was erbij gebleven. Het feit dat ze niet wilde dat Max een straf kreeg opgelegd, zorgde ervoor dat hij met een reprimande wegkwam.

Ze dacht ook na over Simons voorstel. Misschien was het toch niet zo'n goed idee. Hoewel Simon volkomen te goeder trouw was, zouden mogelijk meer mensen denken zoals Max. Ze wilde niet dat er over hem werd gepraat. Dus toen Simon enkele dagen later belde, hield ze de boot af en zei dat ze er nog eens over wilde nadenken.

Simon liet niet merken dat hij teleurgesteld was. Hij was ervan overtuigd geweest dat Feline zijn voorstel wel zou toejuichen. Misschien had ze aan Casper de zaak voorgelegd. En die zou natuurlijk negatief reageren. Het zou niet lang meer duren of er ontstond een werkelijke breuk tussen hem en zijn zoon. Dat kon hij niet laten gebeuren. Hij had besloten Feline niet meer op te zoeken. Hij hoopte dat hij dat volhield. Want hij miste haar wel. Haar vriendelijkheid, haar warmte, de vanzelfsprekendheid waarmee ze hem aanvaardde. Ieder ander had bijgedachten, alleen zij niet. Zelf had hij het idee dat hij zijn gevoel voor richting volledig kwijt was.

Hij ging overigens wel weer met Paula naar verjaardagen en recepties en soms zelfs naar de kerk. Paula was heel vertrouwd, maar hij voelde voor haar niet hetzelfde als voor Feline.

Over een halfjaar waren ze dertig jaar getrouwd en Paula had voorgesteld een feest te geven. Ze had blijkbaar besloten de vrouw die in het leven van haar man zoveel onrust had gebracht, volledig te negeren. Simon moest niet aan een feest denken. Hij wist niet eens of hij nog van Paula hield, of hij nog met haar verder wilde. En dan ging het er niet om dat hij een relatie met Feline wilde. Zoiets was onmogelijk, vertelde hij zichzelf honderd keer. Maar dat hij zo van slag kon raken door een andere vrouw verontrustte hem nogal.

Overigens, als Feline verliefd op hem zou zijn, wist hij niet wat er zou gebeuren. Zou hij zo stevig in zijn schoenen blijven staan en Paula trouw blijven?

Simon ging naar zijn werk en hij hoopte dat niemand iets aan hem merkte. Hij had het gevoel in een tunnel te zitten waarvan het eind niet in zicht was.

Op een dag besloot Simon zijn schoonzus Joline op te zoeken. Zij had altijd een verfrissende kijk op bepaalde zaken. Hij schaamde zich toen hij eraan dacht dat hij had beloofd haar te eten te vragen. Inmiddels waren er drie weken voorbij en hij had niets meer laten horen.

Diezelfde dag nog ging hij naar het grote huis waar Joline meestal verbleef. De struiken in de grote tuin stonden nu volop in bloei en alles zag er goed verzorgd uit. Hij zag dat er twee mannen aan het werk waren. Nou, dit was beter dan op straat zwerven. Die ene persoon was degene die de vorige keer pas was aangekomen. Hij had toen het gevoel gekregen dat Joline niet goed raad met hem wist. Hij zag er verzorgd uit, droeg een strohoed op het hoofd. Hij gaf de ander aanwijzingen, zag Simon. Even aarzelde hij, toen ging hij toch naar hem toe. „Jullie hebben het hier flink opgeknapt," begon hij.

De ander duwde zijn hoed achterover en keek hem aan. „Het was nodig. Daarbij is het goed buiten te zijn. Het is een uitstekende therapie."

„Was u ooit tuinman?" vroeg Simon, zich weer verwonderend over de beschaafde uitspraak van de man. De meeste mensen hier spraken wat slordig, hoewel dat soms ook een gevolg was van drugs- of drankmisbruik.

„In mijn vorige leven had ik ook een tuin," zei de man.

Dat is nu niet direct een antwoord dat uitnodigt tot een gesprek, dacht Simon. Was dit misschien een of andere wazige figuur die in reïncarnatie geloofde? Joline haalde ook maar alles binnen. Maar Joline ging ervan uit dat alle mensen gelijk waren in de ogen van God. En dat diende in de ogen van mensen ook zo te zijn. Joline probeerde deze gedachte in praktijk te brengen en slaagde daar aardig in naar Simons idee.

Hij liep naar binnen en vond Joline in de ruime kamer, die tot zijn verbazing opnieuw was gestoffeerd. Er stonden enkele banken en grote stoelen. Overal lagen kussens.

„Simon. Leuk dat je langskomt. Je wilt vast wel koffie." Hij knikte en realiseerde zich meteen dat Joline hem nooit een verwijt maakte dat hij zich zo zelden liet zien. Zij was altijd even hartelijk.

„Jullie hebben het hier gezellig gemaakt," zei hij waarderend. „Heeft de gemeente jullie iets toegestopt?"

„Dat had je gedacht. De gemeente heeft andere prioriteiten. Een van onze gasten voelde zich geroepen de zaak hier op te knappen."

Simon dacht onmiddellijk aan de man in de tuin,

maar hij was te bescheiden om verder te vragen.

Even later zaten ze samen aan de koffie. „Zo, en hoe is het nu met je vijfentwintig jaar jongere geliefde?" vroeg Joline luchtig.

Zoals altijd: de koe direct bij de horens vatten, dacht Simon. „Ze is mijn geliefde niet," zei hij toen.

„Dat zou je wel graag willen. Je hebt haar dus nog niet kunnen loslaten, Simon. Je wilt wel, maar je gevoelens voor haar zijn te sterk. En hoe denkt zij daarover?"

Hij verwonderde zich erover dat ze hem zo goed kende, en hij zei: „Ik weet zeker dat ze mij alleen als vriend ziet. En mijn verstand zegt dat het zo het beste is. Maar ik heb veel moeite om haar aan Casper over te laten."

„Casper? Je bedoelt jouw Casper? Wat is dat voor raar spelletje?"

„Het is geen spelletje, Jo. Ik houd van dat meisje. Als ze mij belt, laat ik alles vallen en race naar haar toe. Als ze problemen heeft, wil ik haar helpen. Op de een of andere manier geeft ze mij het gevoel dat ik nodig ben."

„En dat gevoel geeft Paula jou niet?"

„Lieve help, je kent Paula toch. Zij heeft niemand nodig."

„Daarin kon je je weleens vergissen. Paula uit zich moeilijk. Maar wat is dat met Casper?"

„Hij komt ook bij Feline. Ik denk dat hij dat doet om mij dwars te zitten."

„Heb je overwogen dat hij ook verliefd kan zijn op dat meisje? En dat jij hem daarbij in de weg zit? En haar ook?" zei Joline fijntjes.

„Haar ook? Zij is niet verliefd op Casper," zei Simon stellig.

„Dat weet je niet zeker, Simon. Kwam je hierheen om erover te praten? Als je om goede raad komt, dan ben ik bang dat wat ik ga zeggen niet is wat je wilt horen. Namelijk: laat dit meisje los en probeer weer iets op te bouwen met Paula. Zij is ongelukkig onder deze situatie. En jij zult het meisje misschien terugzien als je schoondochter." Het laatste klonk plagend. Ze stond op om nog eens koffie in te schenken. Hij zag dat ze ook een paar kopjes naar de tuin bracht.

Zijn schoondochter? Zou Casper echt iets voor Feline voelen? Vreemd was het niet, zij moest een verademing zijn na al die opgepoetste modellen. Stel je voor, zijn schoondochter. Zo kon hij Feline nog niet zien. Maar als het onwaarschijnlijke gebeurde, zou niemand ooit mogen weten wat hij echt voor haar voelde. Gelukkig dat hij alles steeds weer had ontkend.

Toen Joline weer binnenkwam zei Simon: „Ik had niet gedacht dat die man hier zou blijven."

„Welke man? Bedoel je Maarten? Hij heeft intussen een eigen appartement gehuurd, maar hij komt hier wel helpen. We kunnen goed met elkaar opschieten. Aangezien hij ook korte tijd op straat heeft geleefd, heeft hij veel begrip voor de mensen hier. Hij wil hen helpen en krijgt ook bij officiële instanties nogal eens iets gedaan."

Het klonk of ze trots op hem was en Simon vroeg: „Mag je hem graag?"

Joline knikte. „Nu we het toch over dat soort zaken hebben, ja, er is iets tussen ons. Soms ben ik enkele dagen in zijn appartement. We wilden niet dat het hier bekend werd."

„Joline toch! Een dakloze zwerver!"

„Dat is hij niet meer. Maar al was hij dat wel, ik voel me prettig bij hem. Ik kan helemaal mezelf zijn. Juist jij moet dat toch kunnen begrijpen."

„Wat zal Paula daarvan zeggen?" vroeg Simon zich af.

„Van alles en nog wat," zei Joline schouderophalend. „Wil je met hem kennismaken?"

Simon besefte dat hij niet kon weigeren en volgde haar naar de tuin.

„Dit is mijn zwager, Simon," zei Joline nonchalant.

„We hebben elkaar eerder ontmoet. Ik ben Maarten." Het viel Simon op dat hij geen achternaam noemde. Zo bleef hij toch gedeeltelijk anoniem. Ze praatten even over de tuin en toen zei Simon: „Ik hoorde dat je inmiddels een appartement hebt kunnen huren."

„Dat vind je een hele vooruitgang, neem ik aan. Ik kan overal wonen, dat is in de loop der jaren wel gebleken. Ik heb ook gevaren."

„Je bent dus geen type voor een rustig gezinsleven," veronderstelde Simon.

„Ik ben nu mijn wilde haren wel kwijt. Voor ik ging zwerven leidde ik een normaal leven. Soms dwingen de omstandigheden je ertoe het roer helemaal om te gooien. Jij bent manager in een hotel, heb ik begrepen?"

Simon vertelde een en ander en het viel hem op dat deze man behoorlijk bij de tijd was. Later bracht Joline hem tot het hek en Simon kon niet nalaten te zeggen: „Je weet niets van zijn achtergrond, Joline."

„Waarom zou ik in zijn verleden willen duiken? Ik leef nu."

„Maar als hij nou eens…"

„Een moord heeft gepleegd?"

„Zover zou ik niet willen gaan. Maar…"

„Wat weet jij van je jonge vriendinnetje? Misschien ontvangt ze wel meer mannen."

„Natuurlijk niet." Zijn stem schoot verontwaardigd uit.

„Rustig, ik geloof je wel. Maar jij gaat toch ook op je gevoel af. Het zit wel goed, denk je, en daar vertrouw je op. Zo is het met mij ook."

„Ik hoop dat je nooit teleurgesteld wordt," zei Simon nog.

„Je moet positief in het leven staan," antwoordde Joline kalm. Ja, zo is ze altijd geweest, dacht Simon. Ze namen afscheid en met een vaag gevoel van onvrede reed Simon naar het hotel. Voor Joline leek alles zo gemakkelijk te gaan. Hij vroeg zich af hoe Feline over zijn voorstel dacht in verband met Max. Hij was waarschijnlijk te idealistisch. Hij verwachtte dat, als zo'n jongen wat extra aandacht kreeg, hij wel snel zou veranderen in een aangepast gelukkig kind. Wat dat aanging overschatte hij zichzelf. En zijn mogelijkheden.

Feline kende de jongen, misschien was dat ook de reden dat ze aarzelde. Hij kon vanavond bij haar langsgaan om er nog eens over te praten. Hij kon haar dan ook zeggen dat het hem beter leek als hij haar niet meer opzocht. Zomaar wegblijven, dat kon hij niet maken.

Dus belde Simon die avond Paula en zei dat hij wat later thuis zou zijn. Tot zijn opluchting vroeg zijn vrouw niet naar de reden. Misschien interesseerde het haar niet. Daar wilde hij echter liever niet aan denken. Hij bleef wel vaker in het hotel tot na het diner. Paula zou kunnen denken dat hij daar vandaag ook voor koos. Terwijl hij de auto door het verkeer manoeuvreerde bedacht hij voor de zoveelste keer dat hij zich toch wel in de nesten had gewerkt. En dat hij daar soms danig moe van werd. Dat was echter iets wat hij nooit zou zeggen. Zo'n opmerking zou alleen maar vervelende grapjes uitlokken.

Hij parkeerde de auto voor de flat en liep even later rustig de trap op. Het duurde even en hij drukte al voor de tweede keer op de bel toen Feline opendeed. Ze was in badjas en had een handdoek als een tulband om haar hoofd gewonden. Ze kwam blijkbaar juist onder de douche vandaan. Simon voelde zich verlegen worden. „Sorry, ik had eerst moeten bellen."

„Het geeft niet. Loop maar door, ik kleed me even aan."

Hij liep de kamer in. Op de bank zat Casper of hij daar volkomen thuishoorde. Heidi, ook al in badjasje, leunde tegen hem aan, terwijl Casper haar voorlas. Dit huiselijke tafereeltje pakte Simon flink aan. Hij voelde zich ineens zo overbodig dat hij bijna op zijn schreden was teruggekeerd. Ineens zag hij het duidelijk in, hij hoorde hier niet. Hij was een indringer.

„Alle mensen! Kom jij hier iedere dag?" vroeg Casper niet bepaald vriendelijk.

„Datzelfde kan ik aan jou vragen. Er is iets wat ik met Feline moet bespreken."

„Dat zal vast. Wanneer houd je hier nu eens mee op? Straks laat ze jou nog vervolgen wegens stalking."

Simon had geen weerwoord. Alles wat hij zei zou belachelijk klinken. Hij wilde toch geen concurrentiestrijd aangaan met zijn zoon? Toen zei hij: „Ik hoop dat je haar niet net zo behandelt als diverse eerdere vriendinnen. We hebben al eerder een meisje huilend bij ons thuis gehad."

„Maak je geen zorgen," klonk het koel.

Even later kwam Feline binnen, nu gekleed in een soort huispak. Ze ziet er zo lief uit, dacht Simon. En ze was ook lief. Was Casper haar wel waard? Ze glimlachte naar hem. „Wil je koffie, Simon?"

„Nee, ik kom maar heel even. Ik wilde het nog even met je over die jongen hebben. Ik had met hem te doen, hij is nog maar een kind. Misschien kan ik iets met hem ondernemen."

„Ik waardeer dat bijzonder, Simon. Maar een kind is hij niet meer. Toen ik hem hier iets van vertelde dacht hij dat je iets van hem wilde."

„Iets van hem wilde?" herhaalde Simon. Toen begreep hij het. „Lieve help," mompelde hij.

„Ja pa, ik zou maar oppassen. Er is nu wel genoeg over je gepraat, denk je ook niet? En het ging jou toch niet om die jongen? Je wilde contact houden met Feline."

Simon stond op. „Mijn bedoeling was eerlijk," zei hij zo waardig mogelijk.

Feline liep met hem mee naar de deur. „Wees niet boos. Ik weet dat je het goed bedoelt. Maar ik weet niet goed wat ik met jullie tweeën aan moet."

„Ik zal je niet meer lastigvallen," zei Simon.

„Je valt me niet lastig. Je weet dat ik je heel graag mag, Simon. Maar Casper…"

„Ben je verliefd op hem?" vroeg Simon plompverloren.

Ze aarzelde slechts even, maar het zei Simon genoeg. Hij maakte aanstalten om de deur te openen toen ze zei: „Zou je het heel erg vinden, Simon? Ik bedoel, misschien heb je weleens gedacht... Ik weet het niet. Maar wij tweeën zijn goede vrienden. Toch?"

Simon had met haar te doen toen hij merkte hoe ze verward raakte in haar eigen woorden. „Het zijn mijn zaken niet, Feline," zei hij kortaf. Toen hij de deur achter zich had dichtgetrokken, bleef Feline nog even in de gang staan. Ze had dit vanaf het begin verkeerd aangepakt. Ze had er echter eerst geen vermoeden van gehad dat Simon verliefd op haar zou worden. En dat zou zo zijn gebleven als Casper haar niet de ogen had geopend. Ze wilde niet tussen vader en zoon instaan. Maar dan zou ze hen niet alle twee kunnen blijven ontvangen. Niet nu de zaken er bij Simon zo voorstonden en zij daarvan op de hoogte was.

Toen ze de kamer inkwam, zag ze dat Heidi in slaap was gevallen. Het was een intiem tafereeltje en dat was Simon natuurlijk ook opgevallen. Ze had medelijden met hem, hij leek zo eenzaam.

„Zou hij nu eindelijk inzien dat hij zich belachelijk maakt met zijn bezoekjes aan jou?" vroeg Casper zich af.

„Zo zie ik het niet. Ik mag je vader graag. Jij oordeelt te hard over hem."

„Als jij de lucht op wilt klaren, als jij ruimte wilt voor een nieuwe liefde, dan moet je hem niet meer ontvangen."

„Ik word niet graag de les gelezen," reageerde ze scherp.

Hij lachte even. „Feline, zie de waarheid nu onder ogen. Mijn vader wordt van deze toestand bepaald niet gelukkiger."

„Wat is je moeder eigenlijk voor iemand?" vroeg ze, plotseling nieuwsgierig.

„Mijn moeder? Dat is moeilijk in enkele woorden te zeggen. Ze ziet er goed uit voor haar leeftijd. Ze is sociaal bewogen en doet veel vrijwilligerswerk. Maar ze is zakelijk en tamelijk koel. Ze bemoeide zich nooit met het werk van mijn vader. Ik heb me daar weleens over verwonderd. Ze hebben ieder hun eigen wereldje, maar vader deed meestal wat zij wilde. Waar ze ook heen moest, een receptie, een verjaardag van mensen die hij nauwelijks kende, hij hobbelde wel mee. Mijn moeder heeft een grote kring van mensen om zich heen. Ruzie hebben ze nooit. Of het moet zijn dat het de laatste maanden weleens uit de hand loopt. Sinds mijn moeder weet van zijn bezoekjes aan jou."

„Als je dit nu zo vertelt, voel je dan niet wat een karig bestaan dit voor je vader is? Karig in de zin van weinig warmte en genegenheid?"

„Hij kende mijn moeder voor ze trouwden," zei hij kortaf.

„Een mens verandert in de loop der jaren. Ik merkte direct dat Simon opbloeide bij wat aandacht. Maar ik heb er nooit iets mee bedoeld."

Ze tilde Heidi op. „Ik leg haar even in bed."

Hij knikte en bleef peinzend achter.

Zijn vader voelde zich eenzaam en daar had Feline last van. Althans, ze dacht dat zijn vader niet gelukkig was en ze zou vast wel gelijk hebben. Maar Simon moest zijn eigen leven leiden. „Als mijn vader zich ongelukkig voelt in zijn huwelijk, moet hij op een scheiding aandringen," zei hij toen Feline weer binnenkwam.

„En wat moet hij dan? Alleen in zijn hotel gaan wonen?"

„Je bent te veel bij hem betrokken geraakt," zei Casper nors.

„Ik wil hem gewoon helpen. Misschien is het toch wel een goed idee om hem eens met Max te laten optrekken. Een keer iets met hem ondernemen, een hapje met hem gaan eten…"

Casper stond op en trok haar in zijn armen. „Het bevalt me wel dat jij je zo om mensen bekommert. Hoe denk je over mij? Ik heb ook zo'n behoefte aan een beetje aandacht van jou."

„Jij kunt overal aandacht krijgen," zei ze half lachend.

„Dat is niet hetzelfde als van jou." Toen hij haar kuste liet Feline haar armen om zijn hals glijden. Ze voelde zich bij Casper ontspannen en jong. Hij kon haar laten lachen. En zijn nonchalante houding verborg een even sociaal bewogen mens als zijn moeder blijkbaar was. Casper was een veel sterkere figuur dan zijn vader.

„Weet je, Feline, als je hem zo graag wilt vertroetelen, hem wat extra aandacht wilt geven, dan heb je daar alle gelegenheid toe als hij je schoonvader is. Ik weet zeker dat hij zich geen lievere schoondochter kan voorstellen."

„Je hebt het nu toch niet over een huwelijk?" zei ze verbaasd.

„Nou, het is een eerste aanzet." Hij hield haar nog steeds in zijn armen en Feline wist dat het niet zo heel lang zou duren of hij zou haar vragen of hij mocht blijven. Daar was ze echter nog niet aan toe. Ze deed een stap achteruit en hij liet haar los. „Wil je koffie?" vroeg ze.

Casper fronste. Hij wist dat hij voor dit moment was afgewezen en wilde zeker niets forceren.

„Nee, ik ga maar eens. Even thuis kijken of de ouwe heer veilig is aangekomen."

Hij had dus ook gezien dat Simon in een sombere stemming was. Hij maakte zich bezorgd en dat deed Feline goed. Hij leek zo stoer en hij had snel zijn oordeel klaar, maar toch…

„Mijn ouders zijn uit elkaar gegaan toen ik zestien was," zei ze plotseling.

„Weet je de reden niet?" vroeg Casper.

„Alleen dat mijn moeder zei dat mijn vader het niet meer uithield bij haar. Later zei ze dat ze hem in feite de deur had uitgejaagd met haar achterdocht en jaloezie. Maar misschien had ze daar wel reden toe. Ik heb er veel last van gehad dat hij niet alleen haar, maar ook mij in de steek heeft gelaten. Hij heeft nooit meer iets van zich laten horen. Ik denk niet dat hij nog leeft."

„Dan zouden jullie dat vast wel hebben gehoord."

„Maar als hij dat nou niet wilde… Ik hield veel van mijn vader, maar ik kan hem dit niet vergeven."

Casper streelde haar wang. „Je hoeft geen heilige te zijn," zei hij zacht.

Toen hij was vertrokken zat ze nog lange tijd op de bank, denkend aan de beide mensen die haar leven het laatste halfjaar zo hadden beïnvloed.

9

Casper besloot inderdaad nog even langs zijn ouders te rijden. Hij stopte voor de bungalow en keek even rond. Ze wonen hier toch maar riant, dacht hij bij zichzelf. Hij opende de deur met zijn sleutel en liep regelrecht naar de kamer. Paula was duidelijk blij hem te zien, maar Simon reageerde nauwelijks. Toen zijn moeder even de kamer uit was, zei Simon: „Kom je me weer een lesje leren?"

Doe ik dat? vroeg Casper zich af. Mogelijk was het waar wat Feline zei. Zocht zijn vader alleen wat warmte en aandacht. Maar hij had wel de verkeerde persoon daarvoor uitgekozen. „Ik kwam kijken of je veilig was thuisgekomen," zei hij.

„Nee maar. Ik ben onder de indruk."

Casper negeerde dit. „We hebben het erover gehad, dat het misschien voor Max wel goed zou zijn als iemand eens wat meer naar hem omkeek. Maar je moet dat wel met de leiding van het tehuis bespreken. Het is voor jou ook goed, denk ik."

„Wat is je volgende aanrader? Neem een hond?"

„Je begon er zelf over. Je kwam er speciaal voor naar Feline toe," zei Casper, alweer nijdig.

„Wat is er?" vroeg Paula die binnenkwam. „Je was weer bij haar, is het niet?" Dit laatste was tegen Simon gericht.

Casper zag dat ze van streek was. Ze wist natuurlijk niet hoe ze hiermee om moest gaan. Misschien moest het een beetje luchtiger, met wat meer humor. „Vader was daar met een voorstel. Hij wilde wat aandacht

geven aan een jongen uit Felines klas die dreigt te ont-
sporen."

„Hij heeft dan natuurlijk een reden om nog vaker
naar die vrouw toe te gaan," zei Paula scherp. Casper
dronk zwijgend zijn koffie.

Hij begon eraan te twijfelen of het nog goed zou
komen tussen zijn ouders.

Later bracht zijn moeder hem naar de deur. „Wat
moet ik hiermee?" zuchtte ze. „Ik kan mijn ogen niet
blijven sluiten voor de feiten. Simon heeft een ander.
Ik verwacht iedere dag dat hij over een scheiding zal
beginnen."

„Hij heeft geen ander," zei Casper stellig. „Ik weet
niet eens of hij dat wel echt zou willen. Hij zit in een
soort crisis."

„De midlifecrisis," zei Paula een tikje minachtend.
„Doet hij werkelijk aan dergelijke flauwekul mee?"

„Het is geen kwestie van meedoen, denk ik. Het is
hem overkomen. Jullie zouden eens samen op reis
moeten gaan." Met die woorden trok hij het autopor-
tier dicht. Paula bleef nog even staan en probeerde zijn
laatste opmerking te verwerken. Samen op reis?
Vroeger waren ze nog weleens met vakantie geweest.
Toen hadden ze elkaar blijkbaar nog meer te vertellen.
Had ze Simon verwaarloosd? Maar hoe kon ze nu over
vakantie beginnen, terwijl dat met die ander al zijn
gedachten in beslag nam? Het was dan nu misschien
nog geen echte verhouding tussen Simon en die
vrouw, maar dat wilde niet zeggen dat hij dat niet zou
willen. Toen ze binnenkwam was Simon weer in zijn
krant verdiept, of deed alsof. Paula pijnigde haar hersens om een gespreksonderwerp te vinden, maar zei

169

toen het eerste wat in haar opkwam. „Eind van dit jaar zijn we dertig jaar getrouwd."

Simon bromde wat, maar keek niet op.

„Ik ben altijd van plan geweest een feest te geven," ging Paula dapper verder.

„Wat let je?" klonk het vanachter de krant.

„Het is niet de bedoeling dat ik daar dan alleen ben," zei ze.

„Ik ga toch altijd mee naar jouw feestjes?"

„De laatste tijd, sinds je haar hebt ontmoet, zijn we niet meer samen weg geweest."

„Ik kan me niet herinneren dat je mij gevraagd hebt mee te gaan en dat ik heb geweigerd."

„Lieve help, Simon, wat is er met je aan de hand? Praat erover. Ik word hier gek van."

Een dergelijke uitbarsting was Simon van zijn vrouw niet gewend. Hij liet zijn krant zakken en keek haar aan. Haar grijze ogen glinsterden verdacht en ineens voelde Simon zich heel erg schuldig.

„Wat er met me aan de hand is? Eerlijk gezegd weet ik het niet. Ik denk na over ons leven en dan komt onvermijdelijk de gedachte in mij op: we hebben alles al gehad. Er is niets meer om naar uit te kijken. Alles is zo voorspelbaar. Ik ontmoette Feline, ze was zo eerlijk, zo puur. Ze had echte aandacht voor mij. Ja, ik geloof dat ik verliefd werd. Daar weet zij niets van. Toch leek mijn leven meer inhoud te krijgen. Er is verder niets tussen ons en ik ga er niet meer heen. Het lijkt erop dat Casper haar erg graag mag en dat het wederzijds is... dus..."

„Ben je jaloers op Casper?" vroeg Paula zacht. Het klonk niet spottend tot Simons opluchting.

„Het is te gek voor woorden, Paula. Mogelijk ben ik jaloers op zijn jeugd en op de toekomst die voor hen ligt."

Langzaam zei Paula: „Wij zijn nog niet oud. We kunnen nog iets nieuws beginnen. Een restaurant in Frankrijk bijvoorbeeld."

Hij staarde haar aan. „Meen je dat serieus? En jij dan? Al je contacten, je clubjes, je vrijwilligerswerk, zou je dat zomaar opgeven?"

„Ik denk niet dat ik me hoef te vervelen als we aan een dergelijk project zouden beginnen."

Simon legde eindelijk zijn krant weg. „Hoe kom je daar nu opeens bij?"

Paula haalde diep adem. Tenslotte had ze zijn aandacht. „Ik heb de laatste tijd ook weleens nagedacht. En ik heb gedacht: kunnen we nog iets nieuws beginnen? Ik heb daar minder behoefte aan dan jij. Maar als jij het wilde, zou ik wel meegaan."

„In elk geval was ik dan ver genoeg bij Feline vandaan," zei hij met een klein lachje.

„Natuurlijk, dat ook," zei ze eerlijk.

Simon haalde de krant weer naar zich toe. „Ik weet niet of we dergelijke radicale maatregelen moeten nemen."

Paula zweeg er verder over. Hopelijk had ze hem aan het denken gezet.

Simon kon zijn aandacht inderdaad maar moeilijk bij de krant houden. Wat bezielde Paula ineens? Hij had altijd de indruk gehad dat ze het prima naar haar zin had. Maar hij had zich het laatste jaar ook niet echt in haar leven verdiept. Het raakte hem toch wel, dat ze dit voor hem over zou hebben. Paula was tamelijk

honkvast. Zou ze zich de consequenties van iets dergelijks wel realiseren? Hij wist dat er meer mensen
een dergelijke stap namen. Er zaten veel risico's aan.
En zou dit nu de oplossing zijn om hun huwelijk
nieuw leven in te blazen? Want dat zat erachter bij
Paula, dat wist hij wel zeker.

Bijna dertig jaar getrouwd! Het was niet te geloven.
Maar Paula geloofde er nog in. En dat terwijl hij haar
de laatste tijd echt had verwaarloosd. Zijn aandacht
was volledig naar Feline uitgegaan. Paula wist dat nu.
En toch wilde ze het niet opgeven. Voor het eerst sinds
lange tijd voelde hij bewondering voor zijn vrouw. En
even wist hij weer waarom hij haar indertijd had gekozen. Zij was optimistisch en nuchter en dat had hij, de
eeuwige tobber, wel nodig. Met weemoed dacht hij
aan Feline. Hij had een droom gekoesterd. Totaal niet
reëel, maar een mens mocht dromen. Hij zou haar niet
vaak meer zien. Hij zou haar missen, dat wist hij wel
zeker. Hij zou zich niet meer aan haar opdringen.
Misschien had ze wel medelijden met hem gekregen.
Hij had zich gekoesterd in haar aandacht en zorgzaamheid, maar hij wilde niet dat ze hem zielig vond.

Er gingen enkele weken voorbij, waarin Feline regelmatig met Casper uitging. Soms ging Heidi mee en
een andere keer paste de buurvrouw op haar. Simon
had zich niet meer laten zien en toen ze aan Casper
vroeg: „Gaat het goed met hem?" haalde hij de schouders op. „Ze zijn vaker samen thuis de laatste tijd.
Verder weet ik het niet."

„Hij hoefde niet zo radicaal met mij te breken."

„Laat het nu maar zo. Hij heeft Max een keer meegenomen naar een pretpark en daarna heeft de jongen bij ons thuis gegeten."

„Max heeft daar niets over verteld."

Casper haalde zijn schouders op. „Hij lijkt me tamelijk gesloten."

„Wat vond je moeder ervan?"

„Nou, ik denk dat mijn moeder daar meer vrede mee had dan dat mijn vader regelmatig bij jou op bezoek zou gaan."

Feline zweeg. Ze mocht Casper bijzonder graag en meer dan dat. Maar nog steeds had ze het gevoel dat zijn vader tussen hen in stond. „Weet je vader dat jij hier nu vaker komt?" vroeg ze.

„Als hij het niet weet, komt hij daar snel genoeg achter. Ik wilde je voorstellen een keer mee te gaan naar mijn ouders."

Feline aarzelde en hij legde een arm om haar schouders, draaide haar gezicht naar hem toe. „Wil je niet?"

„Ik weet niet welke conclusies ze daaruit trekken."

„De enige juiste. Dat ik het serieus met je meen, dat ik van je houd en dat ik op den duur met je wil trouwen."

„O Casper..." Ze keek in zijn donkere ogen, dezelfde als zijn vader, en zag dat hij heel serieus was. „O Casper..." zei ze voor de tweede keer.

Ze had gemerkt dat haar gevoelens voor hem veranderden. Hevige verliefdheid werd afgewisseld door interesse en aandacht voor hem. Ze vertrouwde hem, hij hield van Heidi en dat maakte dat ze hem niet meer uit haar leven wilde wegdenken. Ze had natuurlijk gehoopt dat Casper het ooit ook zo zou voelen, maar ze was onzeker geweest. En nu...

„Je moet wel lang denken," zei Casper.

„Het is ook een serieuze zaak," zei ze. En even later: „Wat zal je vader hiervan zeggen?"

„Hou op, zeg. Je kunt hem vragen of hij je eigen vader wil vervangen. Ik meen het. In dat opzicht zou hij prima kunnen functioneren. En je mist je vader nog steeds. En Simon mist een dochter. Als we het over die boeg gooien is het voor hem gemakkelijker te accepteren. We moeten een beetje rekening met hem houden."

Dat was iets wat Feline bijzonder in Casper waardeerde. Hij hield rekening met anderen. En hoe hij zich ook aan zijn vader had geërgerd, hij begreep hem ook.

„Goed, laten we dan binnenkort maar een keer naar hen toe gaan," ging ze overstag.

„Ik beschouw dit ook als een positieve reactie op wat ik eerder zei!"

„Misschien moet je dat wel zo zien," zei ze met een lachje.

„Vanavond komt Casper en hij brengt dat meisje mee," zei Paula toen Simon die middag thuiskwam.

„Welk meisje?"

„Dat weet je best."

„Je bedoelt Feline. Hij zet er wel vaart achter. Ik moet trouwens vanavond nog naar het hotel."

„Simon, laat je niet kennen."

Hij zei niets. Paula kende hem beter dan wie ook. Hij nam zijn krant mee naar de serre en tuurde voor zich uit. Hij zag echter niets van de tuin waar veel rozen al in bloei stonden en het grasveld zo glad was als een biljartlaken. De tuin was fraai aangelegd en werd prima onderhouden. Hijzelf had er nooit tijd voor gehad.

Het was dus serieus tussen Casper en Feline. Hij wilde zichzelf wel bekennen dat hij daar veel moeite mee had. O, hij wist heus wel dat hij zijn verliefdheid op het meisje moest vergeten, maar zoiets kostte tijd. Om haar nu hier in huis te zien als geliefde van zijn zoon viel hem zwaar. Mogelijk dat hij later zou kunnen glimlachen om deze periode in zijn leven. Maar nu was hij zover nog niet. Het ergste was dat Casper wist hoe de zaak ervoor stond. Als hij maar geen toespelingen maakte. Toen Paula binnenkwam met de koffie zei hij: „Misschien is het toch beter als ik er vanavond niet bij ben.”

„Natuurlijk is dat niet beter,” zei Paula kalm. „Je hebt vaak genoeg gezegd dat er niets tussen jullie was. Niet meer dan vriendschap. Het is bijzonder als je al bij voorbaat bevriend bent met je aanstaande schoondochter.”

Hij keek haar aan. Bedoelde ze dit nu ironisch? Ze zag er echter heel normaal en vriendelijk uit.

Ze kwamen die avond na het eten. Casper was heel ontspannen en zei: „Ik vind dat jij nu ook eens moet kennismaken met Feline, ma. Er is een grote kans dat ze in de familie komt. Pa kent haar al zo'n beetje.”

Simon liet zich door Feline op de wang kussen, hij rook de vage bloemengeur van haar parfum. Even keek hij haar in de ogen en ze lachte en knipoogde even. Simons hart maakte een sprongetje. Ze was dan wel verliefd op zijn zoon, maar ze had hem niet afgeschreven.

Ze mocht hem. Hij moest zorgen dat dat zo bleef. Ze hadden samen veel beleefd.

Het werd toch een ontspannen avond. Simon voelde zich opleven nu Feline weer in zijn buurt was. En hij zou haar toch niet helemaal kwijtraken als ze in de familie kwam.

„Ze lijkt me een lieve meid," zei Paula toen ze waren vertrokken.

„Mij ook," zei Simon droog.

Ze lachte even. „Ik kan niet anders zeggen, je hebt een goede smaak."

Opnieuw bewonderde hij haar om haar tolerantie. Maar Paula wist niet hoe ver hij van haar verwijderd was geweest. Nu hij stapje voor stapje op de weg terug was, hoefde ze dat ook nooit te weten.

Casper bracht Feline naar huis. Hoewel hij de vage hoop had dat ze hem zou vragen te blijven, deed ze dat niet. Hij had besloten het initiatief daartoe helemaal aan haar over te laten. Hijzelf was er heel zeker van dat hij met Feline en Heidi verder wilde.

Hij wist niet dat Feline in tweestrijd had gestaan of ze hem toch zou vragen binnen te komen. Ze aarzelde ook vanwege de buurvrouw die op Heidi paste. Deze keek echter heel verbaasd toen ze alleen binnenkwam.

„Is hij niet meegekomen?"

„Hij is naar huis," zei Feline.

„Het gaat toch wel goed tussen jullie? Ik bedoel: je moet dat niet voor mij laten. Ik heb ook regelmatig vrienden over de vloer. Ik wil me nergens mee bemoeien, maar deze jongeman lijkt mij heel geschikt.

Ik zou ermee oppassen, hem in bepaalde opzichten af te wijzen, als ik jou was."

Toen ze Felines gezicht zag kreeg ze een kleur. „Ik heb er natuurlijk niets mee te maken. Het is jouw leven. Je moet maar denken dat ik met je meeleef."

Ze pakte haar spullen bij elkaar en Feline was nog steeds sprakeloos. Ze wist heus wel dat het tegenwoordig normaal scheen te zijn dat mensen je naar de meest persoonlijke dingen vroegen. Maar dit had ze niet eerder meegemaakt.

„Of heb je toch iets met die oudere man?" vroeg haar buurvrouw op de drempel nog.

„Die oudere man is Caspers vader," zei Feline zo kalm mogelijk. De ander trok haar wenkbrauwen op en onthield zich van verder commentaar. „Ik wens je maar sterkte," zei ze alleen, wat in Felines oren een tikje dubbelzinnig klonk.

Even later keek ze peinzend naar haar dochter die vast in slaap was. Ze had gemeend dat mensen in deze flat zich nooit met elkaar bemoeiden. Maar dat ging blijkbaar niet meer op zo gauw men een schandaaltje vermoedde. De buurvrouw werkte niet buitenshuis. Ze paste echter vaker op bij jonge gezinnen in de flat. Hoewel zij, Feline, in haar eigen ogen niets verkeerds had gedaan, men kon er van alles van maken. Bijvoorbeeld dat ze een verhouding had zowel met de vader als met de zoon. Ze zou zo verstandig moeten zijn een en ander naast zich neer te leggen, maar ze was nog steeds gevoelig voor wat mensen over haar zeiden. Dat was al begonnen toen ze een jong meisje was en haar vader plotseling was verdwenen. Ze had haar moeder toen gesmeekt hem als vermist op te

geven, zowel bij de politie als bij het zogeheten tele-
visieprogramma. Maar haar moeder had geweigerd.
„Stel dat hij terugkomt," had ze cynisch opgemerkt.
Tijdens haar ziekte was ze wel wat milder geworden,
maar toch had ze haar echtgenoot voorgoed afgeschreven.

Terwijl Feline die avond wakker lag vroeg ze zich af
wat er van haar vader was geworden. Ze had wel vaker
aan hem gedacht, maar meestal vluchtig. Iedere
gedachte aan hem duwde ze snel weer weg. Maar nu
leek hij ineens weer levensgroot voor haar te staan. Ze
had haar vader in die tijd bijna gehaat. Stel dat hij dood
was? Als hij na zijn verdwijning was overleden, dan
was het onmogelijk dat ze hem zou terugzien. Maar
men zou hem wel gevonden moeten hebben. Ook
als hij vermoord was. Maar wie zou haar vrolijke,
vriendelijke vader hebben willen ombrengen? Ze
had hem zo gemist. In Simon had ze een soort vaderfiguur gezien en een opa voor Heidi. Simon had echter
andere gedachten over haar, dat had ze al snel gemerkt.
Ze had het eerst wel grappig gevonden, maar ze
begreep nu dat zijn gevoelens echt waren geweest. Ze
hoopte dat hij nu alles weer in normale proporties
zag.

Ze was net in slaap gevallen toen ze wakker schrok
van de telefoon. Slaperig keek ze op haar klokje.
Kwart over een, vast iemand die verkeerd had
gedraaid. Maar als ze de telefoon liet gaan, werd Heidi
wakker. „Ja," zei ze kortaf.

„Feline, lig je alleen in bed?"

Ze schoot overeind. Het was Benno.

„Wat mankeert jou om mij midden in de nacht te bellen?" zei ze boos.

„Door jouw toedoen heb ik in de afgelopen week vierentwintig uur vastgezeten op het politiebureau. Ze hebben mij opgehaald in het zicht van de hele buurt. Ze deden me zelfs handboeien om. Nou, daar was ik echt niet blij mee. Vandaag kwam de huisbaas al, of ik misschien wilde vertrekken. Jij hebt hen op mij afgestuurd."

„Die beslissing namen ze zelf. Heidi was zoek en jij had al eerder laten merken dat je haar bij je wilde hebben."

„En daarom zou ik haar ontvoeren? Weet je hoe het voelt als de politie je meeneemt en met geweld in een auto duwt? De mensen uit de buurt vonden het wel een aardige afwisseling. En wat blijkt? Een van je verknipte leerlingen is de dader. Ik mag weer naar huis. Als ik het trappenhuis inkom, kijken de mensen naar me, sommigen doen zelfs een stapje opzij. Mijn vriendin is verdwenen en laat mij weten dat ze het niet meer ziet zitten met mij. En dat allemaal door jou."

„Ik begrijp dat een en ander heel vervelend voor je is. Maar ik kan er niks aan doen." Feline probeerde wat begrip in haar stem door te laten klinken.

„Nou, ik zal je weten te vinden, reken daar maar op," dreigde hij.

„Dan kom je opnieuw in de gevangenis. Ik ga direct naar de politie als je mij weer lastigvalt."

„Lastigvallen is wat zwak uitgedrukt. Ik heb er wel een celstraf voor over als ik jou eens iets goed duidelijk kan maken. Verder wens ik je nog een goede nachtrust."

Feline bleef bevend liggen, de telefoon nog in haar

hand geklemd. Hij had toch weer kans gezien haar bang te maken. Ze deed maar het beste dit gelijk aan de politie door te geven. Maar zolang hij haar niet echt iets deed, konden ze weinig beginnen. Wat moest ze nu doen?

Casper zou waarschijnlijk zeggen dat ze zo snel mogelijk bij hem moest intrekken. Maar ze wilde niet zo afhankelijk zijn. Benno had alle tijd om haar dwars te zitten. Voorzover ze wist had hij geen werk en zijn vriendin had hem laten zitten. Dus hij had vele vrije uren om zich kwaad te maken en plannen te beramen. Ineens dacht ze aan iets wat Casper haar had verteld. Zijn tante was een soort leidster in een tehuis voor daklozen. Zou ze vragen of ze daar een paar nachten mocht doorbrengen? Het was dan wel geen blijf-van-mijn-lijfhuis, maar het was een onderkomen. Ze gleed haar bed uit en haalde het telefoonboek. Eerst het nummer maar eens opzoeken. Ze zou hun haar probleem kunnen voorleggen. Ze deed het bedlampje aan en tuurde door een kier van het gordijn. Er viel een zachte zomerregen en er waren geen mensen op straat. Behalve één. Hij stond tegen een lantaarnpaal geleund, zijn kleding was donker van de regen. Hij rookte een sigaret en keek onafgebroken naar haar raam. Ze deinsde achteruit en liet zich op haar knieën op de vloer vallen, kroop terug naar haar bed. Ze liet het lampje branden. Hij had haar natuurlijk gezien. Hij had haar vrijwel zeker door de opening van de gordijnen zien turen. Wie verwachtte ook dat hij daar zou staan? Zou ze nu onmiddellijk de politie bellen? Maar voor zij er waren, zou hij allang weg zijn. Bij de politie zouden ze vast denken dat ze in grote angst leefde voor haar ex-vriend en dingen zag die er niet waren. Aangezien ze de vorige keer met de verdwijning van Heidi Benno ook onterecht de schuld had gegeven, zou men haar nu vast niet serieus nemen.

Ze had geen rust, gleed toch haar bed weer uit en kroop naar het raam. Er was niemand meer te zien. Even was ze opgelucht, maar toen vroeg ze zich af of hij al in het trappenhuis was. Hij kan mijn appartement niet in, probeerde ze zichzelf gerust te stellen. Hij had geen sleutel en hij zou toch niet midden in de nacht een hoop herrie willen maken. Ze kroop weer onder haar dekbed, maar haar oren vingen ieder klein geluid-je op. Ze zou niet meer kunnen slapen. Het was een schrale troost dat Benno ook niet sliep. Hij had de hele dag om te slapen en kon morgenavond weer terug-komen. Ze had Casper moeten vragen te blijven. Maar hij zou het er niet bij laten zitten. En als die twee gin-gen vechten, wie zou er dan winnen? Benno had op boksles gezeten. Ze wilde niet dat Casper in elkaar werd geslagen.

De volgende morgen was ze al vroeg op en toen de telefoon begon te rinkelen bleef ze er argwanend naar kijken. Wie kon dat anders zijn dan Benno? Ze zou niet opnemen, besloot ze.

De telefoon hield echter niet op met rinkelen en na een poosje meldde ze zich en zei: „Wat denk je hier nou mee te bereiken? Ik kreeg toch niet de indruk dat je zo hebt genoten van je verblijf in een politiecel."

„Ik ben het, Casper," klonk het aan de andere kant. „Ik weet dat ik erg vroeg ben, maar ik moet plotseling voor enkele dagen naar Frankrijk. Een tuinreportage. Was jij aan het dromen?"

Feline aarzelde slechts even. „Zoiets," zei ze vaag.

„Het wordt de hoogste tijd dat ik voor je ga zorgen. De volgende keer probeer ik een dergelijk reisje in de vakantie te plannen, dan gaan jullie mee."

„Dat zou leuk zijn. Hoe lang blijf je weg?" vroeg ze.

„Vier dagen. Het gaat toch wel goed met je? Als er iets is, kun je altijd mijn vader bellen. Maar alleen in een noodgeval." Het laatste klonk plagend.

„Ik verwacht geen noodgevallen. Veel plezier."

„Dank je. En, Feline, ik houd van je."

De tranen sprongen haar in de ogen. „Ik ook van jou. Pas goed op jezelf," zei ze zacht.

Nadat de verbinding was verbroken keek Casper even peinzend voor zich uit. Hij kon er geen vinger achter krijgen, maar hij had het gevoel dat Feline iets dwarszat. Zou hij zijn vader bellen of hij een oogje in het zeil wilde houden? Maar hij kon niets concreets melden. Alleen dat haar stem een beetje mat klonk. Misschien was ze gewoon moe. Toch bleef hij de hele tijd aan haar denken. Hij had zich nog nooit zo ver-antwoordelijk voor iemand gevoeld. Maar wat kon er aan de hand zijn sinds de vorige avond? Ze had hem niet binnen gevraagd. Misschien wil ze een eind aan onze vriendschap maken? dacht hij verschrikt. Nee, dat was onzin, ze had net nog gezegd dat ze van hem hield. Hij moest zich niet allerlei doemscenario's in zijn hoofd halen. Liefde bracht nu eenmaal ook zorgen met zich mee.

Feline was aan de keukentafel gaan zitten, een beet-je rillerig in haar ochtendjas. Dat Casper nu juist weg moest. Nu kon ze het aan niemand vertellen.

Ze besloot in elk geval het opvangtehuis te bellen.

„Met Zwerfrust. Je spreekt met Joline."

Zwerfrust! Feline beet op haar lip. Een tehuis voor degenen die geen thuis hadden. Daar hoorde zij niet bij. „Zeg het maar," klonk het aan de andere kant. „We hebben nog wel een paar plaatsjes vrij."

„Maar ik ben geen dakloze, en ook geen zwerver," zei Feline zacht.

„Wat ben je dan wel?"

„Ik ben... Ik word voortdurend lastiggevallen door mijn ex-vriend."

„Juist. Is hij gewelddadig?"

„Soms wel."

„Je moet eigenlijk naar het blijf-van-mijn-lijfhuis, maar ik weet dat het daar erg vol zit. Kom gerust hierheen, dan kijken we wat je het beste kunt doen."

Langzaam legde Feline de telefoon neer. Wilde ze dit wel echt? Het klonk allemaal als ingestudeerde zinnetjes wat de vrouw zei, al was het vast hartelijk bedoeld. Deze vrouw was dus Caspers tante. Maar zijzelf hoefde niet te zeggen dat ze Casper kende. Waarschijnlijk zou ze toch niet gaan. Benno dreigde alleen maar.

Ze bracht Heidi naar de kinderopvang en ging naar school. Het viel haar op dat Max zich rustiger gedroeg en er minder op uit scheen te zijn om haar dwars te zitten. „Heidi vroeg naar je," zei ze.

„O ja? Ze vroeg zeker waar die enge jongen was die haar had meegenomen."

„Ze vroeg of jij een keer met haar wilde spelen. Maar ik zei dat je daar waarschijnlijk te groot voor bent."

„O, ik kan weleens komen," zei hij tamelijk onverschillig. „Zelf heb ik geen speelgoed."

Feline wilde even door zijn haar strijken, maar ze hield zich in. Ze had niet de indruk dat Max een dergelijk gebaar zou waarderen.

„Dan moeten we maar een keer afspreken. Wat denk je van vrijdag? Dan mag je gelijk blijven eten."

Even zag ze zijn ogen oplichten, toen zei hij: „Je moet niet denken dat ik geen eten krijg."

„Dat denk ik helemaal niet. Maar het is wel eens leuk ergens anders te eten."

„Ik zal kijken of ik kan," zei hij.

Ze glimlachte en dacht: welja, jongen, raadpleeg je agenda maar eens.

Toen ze Heidi ging halen keek ze voortdurend in haar spiegel, maar er was niets bijzonders te zien. Als Benno terugkwam, zou het vanavond laat of vannacht zijn. Was Casper er maar. Zou ze toch Simon bellen? Maar hij kon toch niet weer de hele avond bij haar blijven? Dat zou Paula haar niet in dank afnemen. Ze kon hen beiden wel vragen, maar ze zou toch vannacht alleen zijn.

10

Feline probeerde die avond te doen wat ze moest doen, maar het lukte haar niet erg. Ze was nijdig op zichzelf. Dat had hij toch maar bereikt. Toen ze Heidi naar bed bracht keek het kind gewoontegetrouw door het raam en fluisterde: „Mam, daar is papa." Het kind dook onder de vensterbank. Nee toch, moet ons leven zo gaan worden? dacht Feline in een vlaag van wanhoop. Zo dat zij en haar dochter zich niet meer veilig voelden? „Wat wil hij, mama? Wil hij je weer slaan?"

„Dat laten we niet gebeuren. Ik ga je weer aankleden. Dan gaan we weg via de achteruitgang. De auto staat in de hoek, dus met een beetje geluk zijn we weg voor hij het in de gaten heeft. Je moet heel stil zijn."

Snel pakte ze wat kleren in en ze renden even later aan de achterkant over het balkon. Ze wist dat hier een buitentrap was. Ze hield Heidi stevig bij de hand, maar het ging voor het kind wel wat te snel. Ze protesteerde echter niet en binnen de kortste keren zaten ze in de auto. Ze zou niet keren en langs hem rijden. Via deze weg kwam ze er ook, al mocht ze hier eigenlijk niet inrijden. Gelukkig was er niemand die haar tegenhield en even later was ze in de buitenwijken van de stad op weg naar Zwerfrust.

„Waar gaan we heen?" wilde Heidi natuurlijk weten.
„Naar Casper," bedacht ze toen zelf.

„Casper is er nu niet. Maar we gaan ergens heen waar papa niet mag komen."

Wat later draaide ze het brede pad in naar de imposante woning. Er waren enkele mensen in de tuin bezig die er verzorgd bij lag. Feline stapte uit en nam Heidi bij de hand. De deur stond op een kier, maar ze belde toch aan. „U kunt zo doorlopen," riep iemand van binnen.

De jonge vrouw die haar tegemoet kwam zou ze nooit in verband gebracht hebben met Simon. Haar kleding had ze blijkbaar zo hier en daar opgescharreld, maar zeker niet in een modezaak. Ze droeg haar haren opgestoken en in haar oren glinsterden grote ringen.

„Jij hebt gebeld, neem ik aan. Kom binnen, dan praten we even. Hoe was je naam ook weer? Feline, ik heb het dus toch goed verstaan. Die naam komt niet veel voor. Nu heb ik zomaar het gevoel dat jij degene bent door wie Simon de laatste tijd van slag is. En tevens degene op wie zijn zoon verliefd is."

„Is dat een probleem?" vroeg Feline.

„Zeker niet. In principe vragen we nooit naar de achtergrond van mensen die hier komen. Maar bij jou ligt het een beetje anders. Weten Simon en Casper dat je hier bent?"

„Casper is voor zijn werk naar Frankrijk en Simon wilde ik niet lastigvallen."

„Heel verstandig. Het probleem is, zolang iemand je alleen achtervolgt en opbelt kan de politie weinig doen. Hoogstens een straatverbod opleggen. En dat werkt lang niet altijd, want de politie kan niet voortdurend controleren. Ik ga theezetten en Maarten roepen. Hij is juridisch nogal bij de tijd."

Feline nam Heidi op schoot. Had ze hier nou wel verstandig aan gedaan? Wat zou Maarten kunnen doen?

186

Als hij ooit zoiets als jurist was geweest, was hij vast al heel lang uit het vak.

Tegelijk met Joline kwam Maarten binnen. Feline stond op om hem een hand te geven, maar op hetzelfde moment gaf ze een gil, de grond leek omhoog te komen. Ze greep in het wilde weg om zich heen en zakte toen half terug op de bank. Heidi begon van schrik te huilen.

„Ze is flauwgevallen. Al de spanning is haar zeker te veel geworden," zei Joline verschrikt.

„Dat denk ik ook," zei Maarten met zo'n vreemde stem dat ze hem snel aankeek.

„Jij ook al. Ga zitten, Maarten, voor je ook tegen de vlakte gaat."

„Het gaat wel."

Joline keek van de een naar de ander. „Wat is er aan de hand?"

„Ik weet niet of zij het wil vertellen, Joline." Hij strekte zijn hand uit naar Heidi die terugweek en haar moeder krampachtig vasthield.

Joline zag dat Feline weer bij haar positieven kwam en langzaam ging zitten.

„Waar ben ik terechtgekomen?" mompelde ze.

„Dit is een opvanghuis voor daklozen," legde Joline haar vriendelijk uit.

„Dat weet ik wel. Ik had even het idee dat ik mijn verstand verloor." Ze keek nu Maarten aan. „Wat doe jij hier?" vroeg ze kil.

„Maarten is mijn vriend. Hij woont hier niet permanent," meende Joline te moeten uitleggen.

„Wel wel, nou, ik denk niet dat er hier voor ons tweeën plaats is."

„Ik ga wel weg. Hoewel ik hoop dat we eerst kunnen praten," zei Maarten duidelijk aangeslagen.

„Ik wil niet praten. Daar had je tien jaar eerder mee moeten komen. Hij is mijn vader," wendde ze zich tot Joline. „Hij heeft mij en mijn moeder tien jaar geleden in de steek gelaten en nooit meer iets van zich laten horen. Mijn moeder werd ziek en ik heb twee jaar voor haar gezorgd. En pa zette, weet ik waar, de bloemetjes buiten. Waarom heb jij je zo schandelijk gedragen?" beet ze hem toe.

„Ik begrijp dat je het zo ziet. Maar ik wil er met je over praten. Denk je dat ik gelukkig was met de situatie?"

„Nou, dat is maar goed ook," zei ze koud.

„Mam? Gaan we hier weer weg?" Heidi rukte aan haar hand.

„Ik vind dat jullie hier alle twee moeten blijven. We hebben hier een kamer waar niemand komt. Praat de zaak uit, dan kun je daarna altijd nog beslissen of je weg wilt gaan," stelde Joline voor. Feline had op dat moment niet de energie om te protesteren. Joline bracht hen in een smalle kamer met een hoog raam. Er stonden enkele brede banken en in de vensterbank lagen kussens.

„Dit is de wanhoopskamer," zei Maarten. „Laten we gaan zitten. Ik wil jou graag eerlijk vertellen wat er gebeurd is. Maar als je mij bij voorbaat al niet gelooft, dan heeft het geen zin."

Feline ging tegenover hem zitten met Heidi tegen zich aan. Hij was haar vader en ze had hem onmiddellijk herkend. Aan zijn warme, bruine ogen waarin nog steeds dat spoortje humor glinsterde. Maar hij was wel oud geworden.

„Ik had niet gedacht dat ik jou levend zou terugzien," zei ze.

„Toen ik vertrok achtte ik die kans ook klein," zei hij rustig. „Weet je, Feline, wat ik nu over je moeder ga vertellen is weinig goeds, vrees ik. Maar het is wel de waarheid."

„Moeder is heel erg ziek geweest. Het was vreselijk," zei ze zacht.

„Dat vreesde ik al."

„Maar jij ging weg voor ze ziek werd."

„Min of meer. Ik heb haar geld gestuurd om professionele hulp te nemen."

„Dat wilde ze niet. Ze wilde alleen mij."

„Daar was ik al bang voor. Wist je van dat geld?"

Ze schudde het hoofd.

„Wat had ik jou dat alles graag bespaard. Jij, een meisje van net zestien. Weet je wat ze mankeerde?"

„Ze had kanker. Op het laatst ook in haar hoofd. Het was zo erg... De dokter... Hij kon niets voor haar doen. Ze wilde geen behandeling."

„Er was geen behandeling mogelijk. Daarvoor was de ziekte al te ver gevorderd. Ze had geen kanker. Ze had aids."

Feline kreeg het gevoel geen adem te kunnen halen. „Papa," fluisterde ze. Ze zag dat dit vertrouwde woordje de tranen in zijn ogen bracht. Ze wilde protesteren. Dit kon niet waar zijn. Haar moeder had vanaf het begin gezegd dat het kanker was. Maar er was nooit sprake geweest van chemokuren of bestraling. Zou haar moeder het met de dokter op een akkoordje hebben gegooid? Had ze hem gevraagd de waarheid voor haar dochter te verzwijgen? Ze herin-

189

nerde zich dat haar moeder in het begin van haar ziekte nog regelmatig perioden had gehad dat het beter met haar ging. Toen ze daar met de dokter over praatte, had hij gezegd: „Ik weet het, meisje, maar toch wordt ze niet beter."

„Wist jij het al lang?" vroeg ze nu zacht.

Haar vader knikte. „Ik wist het vanaf het begin. Ik had al langer het vermoeden dat ze met andere mannen meeging. Maar toen ze besmet raakte, vertelde ze het mij. Ze wilde niet dat ik risico liep. Ze bleef echter doorgaan met haar vrij losbandige leven en ik kon daar niet meer tegen. Ik wilde jou wel meenemen, maar ik wist toen alleen dat ik zou gaan varen. Wat moest ik op een schip met jou? Via een vriend heb ik nog weleens iets gehoord. Zoals ik al zei, ik stuurde geld en ik hoopte dat jouw leven op een zo normaal mogelijke manier kon doorgaan. Ik was naïef dat te denken, veronderstel ik. Ik voel me nu schuldig en ik zou het begrijpen als je niets meer met mij te maken wilde hebben. Daarom heb ik je ook nooit gezocht. Ik wist van je mislukte relatie. Het was een soort vlucht, neem ik aan. Je hebt een schat van een dochter, Feline. Ik zou graag haar opa zijn, maar ik weet niet of ik daarop mag hopen. Hoe moet het nu met ons?"

„Ik weet het echt niet," zuchtte Feline. „Het komt allemaal zo onverwacht. Ik dacht altijd dat ik in elk geval nog de herinnering aan de goede momenten met mijn moeder had."

„Ze heeft je willen sparen. Zie dat als iets positiefs."

„Waarom nam ze geen professionele hulp?" vroeg Feline zich af.

„Toen ze die beslissing moest nemen, was ze misschien al te ver heen," zei haar vader op verzoenende toon.

„Je hoeft haar niet de hand boven het hoofd te houden," zei ze bitter.

„Ooit zijn we samen begonnen. We hielden van elkaar en van jou. Ik weet niet waarom je moeder het avontuur ging zoeken. Ik was veel weg. Te vaak en te lang. Dat zag ik in en daarom studeerde ik ieder vrij moment. Rechten. Ik heb het afgemaakt, maar er verder nooit iets mee gedaan. Eigenlijk is mijn leven mislukt."

„Geen enkel leven is mislukt, tenzij je dat zelf wilt," zei Joline die binnenkwam. „Het is een klein wonder dat jullie elkaar weer hebben gevonden."

„Zo ver zou ik niet willen gaan," zei Feline afhoudend. „We zijn elkaar weer tegengekomen. Maar ik weet niet wat we nu verder moeten. Ik begrijp dat jullie iets met elkaar hebben. Gaan jullie trouwen en hier samen daklozen opvangen?"

„Zou je dat verkeerd vinden, Feline? Je had iets beters van je vader verwacht?"

„Krijg maar geen kleur," zei Joline luchtig. „Ik heb dat vaker gehoord, ook in verband met mezelf. Ook van mijn eigen familie. Ik trek me er niets van aan. Is er iets beters dan anderen te helpen, vraag ik me af.

Maar ik zie dat je moe bent. Het lijkt me beter als je eerst eens een nacht goed slaapt."

Feline was opgelucht dat ze zich kon terugtrekken. Er stonden twee eenpersoons bedden in de kleine kamer. Voor ze Heidi had neergelegd, sliep deze al. Bij haarzelf zou dat niet zo gemakkelijk gaan. Toen ze eenmaal lag vlogen haar gedachten alle kanten op. Onvermijdelijk gingen haar gedachten naar haar moeder.

Ze had weinig geklaagd, hoewel ze totaal was afgetakeld door die afschuwelijke ziekte.

„Waarschijnlijk krijg ik wat ik verdien," had haar moeder eens gezegd.

Ze had zich toen niet kunnen voorstellen dat iemand zoiets verdiende. Nu zag ze dat het een kwestie was van oorzaak en gevolg. Eigenlijk was zij ook door haar moeder in de steek gelaten. Dat was al begonnen toen ze met de eerste persoon uitging, die haar echtgenoot niet was. Zou het anders zijn gelopen als haar vader meer thuis was gebleven? Als hijzelf zijn vrouw had verzorgd? Mogelijk had zijzelf zich dan minder alleen gevoeld en was ze niet zo halsoverkop bij Benno ingetrokken. Maar kon ze van een dergelijke stommiteit haar ouders de schuld geven? Ze moest de gevolgen nog steeds dragen, maar ze hoefde alles toch niet lijdzaam over zich heen te laten komen? Was ze niet sterk genoeg om haar eigen problemen te lijf te gaan? Morgen zou ze weer naar huis gaan, besloot ze. Hier verblijven was immers ook geen oplossing.

Ze was de volgende morgen laat op. Toen ze in de keuken kwam was daar alleen Joline, die vroeg wat ze voor haar ontbijt wilde.

„Zo'n eerste dag zorg ik daarvoor, daarna doen de gasten het zelf," zei ze.

„Na het ontbijt vertrek ik," zei Feline even later. „Als ik even mag bellen naar mijn werk en de kinderopvang? Ik ben zomaar halsoverkop hierheen gekomen."

„Je was in paniek. En het heeft je, hoop ik, toch iets goeds gebracht."

Ze bedoelde natuurlijk haar vader. Feline wist echter niet zeker of ze deze ontmoeting als iets positiefs kon zien. Tenslotte was het verhaal van haar moeder nog dramatischer dan ze tot nu toe had gedacht. Nadat ze de secretaresse op school had doorgegeven dat ze pas die middag kwam en de leidster van de crèche ook had ingelicht, ging ze aan tafel zitten. Ze zou dit op school moeten uitleggen. Je kon niet zomaar wegblijven. Er was niet direct iemand voorhanden die haar kon vervangen. En een dergelijke klas erbij nemen was niet te doen. Ze moest zich niet meer door Benno laten opjagen.

„Je vader is in de tuin," vertelde Joline ongevraagd. „Ik heb zoveel hulp van hem." Ze maakte intussen enkele boterhammen voor Heidi klaar, die er zwijgend bij zat. Er wordt te veel met dat kind gesjouwd, dacht Feline schuldig.

Toen ze niet op Jolines woorden inging, zei deze: „Hij zal misschien op je wachten. Je hebt toch geen hekel aan hem?"

„Mijn leven was een stuk gemakkelijker verlopen als hij er niet vandoor was gegaan," zei Feline.

„Maar nu is hij er weer."

„Hij is niet teruggekomen om mij. De ontmoeting was toevallig," weerlegde Feline.

„Hij heeft het vaak over jou gehad. Maar hij was bang dat je hem zou afwijzen."

„Terecht, denk ik."

„Maar ooit heb je toch van hem gehouden."

„Ik heb heel veel van hem gehouden," zei Feline eerlijk.

„Er kan geen liefde bestaan zonder vergeving," zei Joline ernstig.

„Misschien kan ik dat nu juist niet. Vergeven en vergeten," antwoordde Feline.

„Denk je dat je nu weer veilig naar huis kunt gaan?" gooide Joline het over een andere boeg.

„Ik zou het niet weten. Maar hier blijven is ook geen oplossing."

„Je moet wel de politie inlichten," zei de ander nog. Feline knikte. Ze kon inderdaad het beste een aanklacht indienen. Benno was inmiddels bij de politie bekend.

Eenmaal buiten ging ze toch naar haar vader toe. Hij was bezig met grasmaaien en hoorde haar niet aankomen. Ze zag zijn ogen oplichten toen hij haar zag.

„Ik ga naar mijn werk. Ik wilde afscheid nemen."

„Toch niet voorgoed, hoop ik."

„Ik moet erover nadenken."

„Er is geen plaats voor mij in jouw leven," zei hij berustend.

„Zo zou ik het niet willen stellen. Maar ik heb tijd nodig."

„Goed, ik begrijp het. Je weet waar je me kunt vinden. En wees voorzichtig…"

Voorzichtig! Met voorzichtig zijn had ze Benno nog nooit uit haar buurt weten te houden.

Ze deed er het beste aan de politie in te lichten. En mocht Benno nog een keer komen opdagen, dan zou ze de confrontatie aangaan.

De dag verliep verder zonder problemen. Ze vroeg Max of het nog doorging, dat hij op vrijdagmiddag met Heidi kwam spelen.

„Als jij dat wilt." Het klonk tamelijk onverschillig. Maar ze zag de blik in zijn ogen.

Toen Casper die avond belde zei ze hem niets over Benno, maar ze vertelde wel van Max' aanstaande bezoek.

„Is hij niet te groot om met Heidi te spelen? Hij is niet gewend met zoveel jongere kinderen om te gaan," vroeg Casper. Hij klonk bezorgd.

„Ik ben er immers bij," zei ze geruststellend. En toen: „Ik mis je."

„Ik mis jou ook. Ik heb je een en ander te vertellen. Maar dat doe ik liever persoonlijk."

Ik heb jou ook van alles te zeggen, dacht ze. Bijvoorbeeld dat ze haar vader had gevonden. Maar ze wilde eerst met zichzelf in het reine komen, voor ze hem dat vertelde.

Het regende de hele vrijdag. Ze was eerst van plan naar de kinderboerderij te gaan, maar zag ervan af. Het werd onverwacht gezellig met Max. Hij was helemaal weg van de playmobil van Heidi. Het viel Feline op dat hij precies deed wat Heidi zei. Zou hij bang zijn dat het kind anders niet met hem wilde spelen? Ze besloot hem een eventuele volgende keer te zeggen dat Heidi niet de baas was. Het was ook niet goed voor haar dochter, als ze in alles haar zin kreeg.

Ze bakte pannenkoeken en Max had geen aanmoediging nodig om flink te eten. Heidi zat hem vol verbazing aan te kijken, en vroeg op een gegeven moment: „Heb jij nog nooit pannenkoeken gegeten?"

Max keek wat verlegen voor zich en zei toen: „Niet vaak."

„Ik wel. Mijn moeder bakt ze iedere week."

„Nou, daar bof je bij," antwoordde Max.

„Mijn moeder kan ook goed frites bakken," was Heidi's volgende mededeling.

Max zei niets en Feline merkte op: „Straks denkt Max nog dat het hier luilekkerland is. Meestal eten we gewoon aardappelen en groenten, hoor. Het is nu een beetje feest omdat Max hier is."

„Omdat ik hier ben?" De jongen keek haar met grote ogen aan.

„We vinden het leuk dat jij er bent."

Op dat moment werd er luid en lang op de bel gedrukt en ze legde haastig haar bestek neer. Ze maakte echter geen aanstalten om op te staan.

„Komen ze mij halen?" vroeg Max.

Er werd nu tegen de deur geschopt en Feline stond op. Max keek haar aan. Als kind dat was opgegroeid op straat herkende hij angst zodra hij die zag. „Wie is dat?" vroeg hij. Zijn stem klonk ineens volwassen.

„Feline, doe open!" werd er geschreeuwd.

„Dat is papa. De vorige keer heeft hij mama geslagen," zei Heidi met een klein stemmetje.

„Je kunt beter niet opendoen," zei Max.

„Maar ik wil niet dat hij zo tekeergaat. De buren…" begon Feline.

„Bel de politie."

„Ik wil eerst met hem praten." Ze liep naar de deur. Max keek om zich heen, maar hij zag niets wat als wapen kon dienen.

„Ga jij maar naar je kamer," zei hij tegen Heidi.

Het kind schudde het hoofd en ging alleen wat dichter bij de kamerdeur staan. Max zag het brede pannenkoekmes op het aanrecht liggen en greep dat beet. Het was beter dan niets.

Hij hoorde wat gestommel in de gang en toen kwam Feline binnen, stevig bij de arm gehouden door een kerel. Max zag de angst in Felines ogen en voor het eerst in zijn leven wilde hij iemand beschermen.

„Wel, wel, ze worden steeds jonger," klonk het minachtend. „Weet je wel dat je strafbaar bent met zo'n jong kind?"

„Houd je smerige praatjes voor je," zei Feline heftig.

Benno gaf haar een harde duw, zodat ze tegen de tafel viel en zich flink pijn deed.

„Het enige wat ik wil, dame, is dat je mij gewoon accepteert als de vader van je kind. Dat ben ik toch, ik zou er bijna aan gaan twijfelen. Ik wil jou zo af en toe een bezoekje brengen en Heidi soms meenemen."

Hij deed enkele passen naar haar toe en pakte haar weer vast, maar lette niet op Max. Die schuifelde echter eveneens dichterbij en van het ene op het andere moment sprong hij tegen Benno op. Klein en tenger als hij was, hing hij om Benno's nek en kneep in zijn neus. Zijn stugge jongenshand was sterk en hij liet niet los, hoe hard Benno ook schudde. Het leek wel of alle kracht uit zijn lijf in zijn hand stroomde. Benno slaakte een kreet en liet Feline los. Max' hand draaide en Feline hoorde een akelig geluid, waarop Benno achteruit wankelde en tegen het aanrecht viel. Toen pas liet Max los, maar hij bleef vlak bij Benno staan. Het bloed stroomde uit diens neus en voor Feline het kon voorkomen had de jongen hem een klap op zijn hoofd gegeven met een marmeren onderzetter. Benno zakte door zijn knieën, mompelde iets en verloor het bewustzijn.

„O Max, wat heb je gedaan?" fluisterde Feline.

„Ik heb zijn neus gebroken," zei Max onverschillig. „En misschien heeft hij een hersenschudding."

„Wat moeten we nu met hem doen?"

„We slepen hem buiten de deur en leggen hem in het trappenhuis. Ik kan hem ook de trap afschoppen."

„O Max...," zei Feline voor de tweede keer. „Ik durf de politie niet te bellen. Dan nemen ze jou mee en kom je misschien vast te zitten."

„En hij dan? Wat deed hij...?" zei Max verontwaardigd.

„Ja. Ik weet het. Ik ben ook heel dankbaar dat je mij zo goed hebt verdedigd. Alleen, we zitten nu met een gewonde. Ik ga iemand bellen. Als je liever weggaat, dan zal ik niet zeggen wat jouw aandeel hierin was."

„Denk je dat ze geloven dat jij het hebt gedaan?" Het klonk of hij niet veel vertrouwen had in haar krachten.

Maar hij had gelijk. Het is zeer onwaarschijnlijk dat ik zoiets zou doen, dacht Feline. Toch moest ze nu iets doen. De enige die haar zou helpen was Simon. Casper was niet te bereiken. Ze was zo stellig van plan geweest Simon niet meer lastig te vallen. Maar dit was een noodgeval.

Simon was die middag op zijn kantoor bezig enkele boekingen te controleren toen de telefoon ging.

„Feline, wat leuk dat je belt. Kan ik iets voor je doen?"

„Ik was zo van plan jou niet meer lastig te vallen. Maar er is hier iets gebeurd en Casper is niet te bereiken."

„Je weet dat je mij altijd mag bellen." Simon hoopte

dat hij rustig en vaderlijk overkwam. Want nog steeds voelde hij zich een onzekere puber als hij haar stem hoorde.

Feline vertelde hem in enkele zinnen wat er gebeurd was en Simon hield even de adem in.

„Je moet in elk geval de politie bellen. Het is misschien een idee om Benno vast te binden. Je weet niet hoe hij reageert als hij straks bij zijn positieven komt."

„Vastbinden?" herhaalde Feline. Ze zag aan Max' gezicht dat hij dat wel zag zitten, maar schudde het hoofd. „Ik bel de politie wel," zei ze.

Ze keek naar Heidi, die met een strak gezichtje naar Benno staarde. Max scheen het weinig te doen. Het feit dat Benno daar door zijn toedoen lag liet hem blijkbaar onverschillig. En zij, als leerkracht en als moeder, had toch de taak de kinderen bij te brengen dat geweld altijd verkeerd was. De eerste de beste keer dat Max hier speelde gebeurde er zoiets afschuwelijks.

„Wordt papa weer wakker?" vroeg Heidi nu.

„Straks. Hij heeft hoofdpijn, denk ik."

„Jij kan hard slaan, zeg." Er klonk bewondering in Heidi's stem toen ze dit tegen Max zei en de jongen kreeg zowaar een kleur. Er moet deze kinderen nog heel wat worden bijgebracht, dacht Feline. Ze zou daar vanavond en morgen op school gelijk mee beginnen.

Simon zat juist in zijn auto toen zijn mobiel opnieuw begon te rinkelen. Dat zal wel zakelijk zijn, dacht hij en hij wilde het ding al uitzetten. Hij moest echter bereikbaar blijven, ook voor Feline. Die vent had haar al eerder het ziekenhuis in geslagen. Hij nam op en noemde zijn naam.

„U spreekt met het Gelre-ziekenhuis."

Zie je wel, daar had je het al.

„Wilt u hierheen komen? Uw vrouw heeft een ongeluk gehad."

„Mijn vrouw?" Hij hoorde zelf hoe ongelovig het klonk. „Wat is er gebeurd?"

„Ze werd geschept op een oversteekplaats. Gelukkig reed de auto niet al te hard. Maar ze werd toch flink geraakt."

„Is er levensgevaar?" vroeg Simon, nog steeds met de gedachte dat dit niet waar kon zijn.

„Zoals het er nu uitziet, valt het mee."

„Kan ik mijn komst dus even uitstellen?"

Het bleef even stil aan de andere kant, toen klonk de stem van de zuster, aanmerkelijk koeler: „Dat zou ik u niet aanraden. Maar ik kan u natuurlijk niet dwingen." Ze verbrak de verbinding en Simon bleef doodstil in zijn auto zitten. Paula gewond in het ziekenhuis. En Feline die in moeilijkheden zat. Hij wist echter heel goed waar zijn prioriteiten dienden te liggen. Natuurlijk ging hij naar Paula. Nu moest hij kiezen. Wilde hij niet voor de rest van zijn leven door schuldgevoelens geplaagd worden, dan moest hij nu het enige juiste doen.

Hij belde Feline. „Hoe is het nu?" vroeg hij.

„Hij ligt een beetje te kreunen. Maar het zal vast niet lang duren voor hij overeind komt."

„Ik werd net gebeld dat Paula een ongeluk heeft gehad en gewond in het ziekenhuis ligt. Ik hoop dat je begrijpt..."

„Natuurlijk, Simon. Dan moet je daarheen. Ik red me wel, maak je geen zorgen. Ga maar gauw naar haar toe."

„Er is toch wel iemand anders die je kunt bellen?

Om te beginnen de politie."

„Het komt wel goed, Simon." Ze verbrak zelf de verbinding en hij had het gevoel dat dit meer betekende dan het afbreken van een telefoongesprek.

Hij startte de auto en reed naar het ziekenhuis. Misschien kon hij na zijn bezoek aan Paula nog even bij Feline langsgaan.

Feline wilde niet alleen zijn als de politie kwam. Er was nog een persoon die ze kon bellen. Na een moment van aarzeling zocht ze het nummer op. Intussen hield ze Benno in het oog die niet echt wakker was, maar wel erg onrustig.

„Joline, je spreekt met Feline. Is mijn vader bij jou?"

„Maarten is hier. Ik zal hem roepen."

„Maarten van Maanen," klonk het even daarna. Natuurlijk, hij droeg dezelfde naam als zijzelf. Hoe moest ze hem noemen? Het woord papa kon ze niet over haar lippen krijgen. Dit alles schoot in enkele seconden door haar heen. Toen zei ze: „Met Feline. Ik hoop niet dat ik stoor, maar ik zit met een probleem."

„Zeg het maar."

In het kort vertelde ze wat er gebeurd was.

„Ik kom direct." Hij maakte er verder geen woorden aan vuil. Feline bleef in de keuken zitten, ze durfde Benno niet alleen te laten. Hij had zich nu min of meer in zittende houding gemanoeuvreerd, maar leek niet de kracht te hebben om op te staan.

De twee kinderen zaten in de kamer naast elkaar op de bank. „Komt de politie?" vroeg Max, duidelijk gespannen.

„Die heb ik nog niet gebeld."

„Zal ik naar huis gaan?"

Feline begreep dat Max een gesprek met de politie niet echt zag zitten. „Ik heb liever dat je blijft. Dan kun jij hun ook vertellen wat er gebeurd is."

Toen de bel ging begreep ze dat het haar vader was.

„Zo kind, ik had me mijn eerste bezoek aan jou enigszins anders voorgesteld. Heb je de politie al gebeld?"

Ze schudde het hoofd en ging hem voor naar de keuken. Benno zat nog steeds met zijn rug tegen het aanrecht geleund en keek de binnenkomers wazig aan.

„Houd je het tegenwoordig bij oudere mannen, Feline?" mompelde hij.

„Zwijg. Als er iets gezegd wordt, dan is dat door een van ons. Jij wacht tot je iets wordt gevraagd." Haar vader sprak met natuurlijk gezag.

„Het lijkt me het beste nu de politie te bellen, Feline. Het is immers niet de eerste keer dat hij je te na komt."

„De vorige keer was ik gewond, dat maakt misschien verschil," zei ze zacht. „Dit zullen ze zien als mishandeling van mijn kant."

„Zelfverdediging," verbeterde Maarten. „Je moet hen echt bellen."

Feline wist dat het de beste oplossing was. Als ze Benno liet gaan, dan zou hij zelf aangifte doen en dan zou de waarheid verdraaid worden.

Haar vader bleef in de keuken en ze maakte koffie voor hem. Er werd niet veel gezegd. Het was nu ook de plaats en de gelegenheid niet om allerlei oppervlakkige onderwerpen aan te roeren. Evenmin als praten over het verleden en over alles wat er gebeurd was.

De politie was er vrij snel, twee man sterk. Voor de

zoveelste keer vertelde Feline wat er gebeurd was.

„Hij viel u dus aan. Althans, hij maakte aanstalten daartoe. Hebt u hem zo toegetakeld?"

Feline aarzelde.

„Dat was ik," was Max haar voor.

„Jij, jongen? Wie ben je, een familielid?"

„Hij is een leerling uit mijn klas. Hij was hier vandaag om met mijn dochter te spelen."

„Is hij wel geschikt gezelschap voor zo'n jong kind?"

„Dat heeft hier niets mee te maken. Hij verdedigde mij."

„En dat is maar goed ook, want ik weet niet hoe het anders zou zijn afgelopen," zei Maarten nu.

„En wie mag u wel zijn?"

„Ik ben haar vader."

„Juist. Nu, wij nemen deze jongeman mee naar het bureau, voor nader verhoor. Kun je opstaan?"

Benno krabbelde overeind, hij had duidelijk moeite om zijn evenwicht te bewaren.

„Je hebt hem flink geraakt, jongeman. Wat wil je worden, bokser?" Max zei niets.

„We komen hier zeker op terug," zei een van de agenten. „Mishandeling is nooit terecht. Het is mij nog niet helemaal duidelijk wat er precies is gebeurd."

„Als u er nu eens voor zou zorgen dat hij haar niet meer lastigvalt," zei Maarten scherp.

„We doen ons best, maar de mensen moeten wel meewerken. Door de agressie van die jongen is een en ander lelijk uit de hand gelopen."

De mannen verdwenen met Benno moeilijk lopend tussen hen in. Feline keek naar Max die nors voor zich uit staarde. „Ik ga maar eens," zei hij.

„Nee hoor, jij blijft hier nog lekker een toetje eten," zei Feline vriendelijk.

Ze wilde de jongen niet zo de straat op sturen. Hij was toch min of meer uit zijn doen.

„Ben je kwaad?" vroeg hij.

„Niet op jou. Maar ik ben wel geschrokken. Zo doe je iemand heel erg pijn, dat weet je natuurlijk wel."

„Er zijn verzachtende omstandigheden." Maarten streek Max door het haar. „Jij hebt mijn dochter verdedigd. Het ging hardhandig, maar het was wel afdoende."

„Heb jij ook nog zin in pannenkoeken?" vroeg Feline nu. „Of heb je een afspraak met Joline?"

„Ik bel haar wel dat ik nog een tijdje hier blijf."

Terwijl Feline in de keuken bezig was om van het overgebleven beslag weer pannenkoeken te bakken, zag ze hoe haar vader zich met de beide kinderen bezighield. Ze was blij dat hij ook Max bij het spel betrok. De jongen voelde zich snel buitengesloten. Maar wat had hij een kracht in zijn handen. „Ik heb zijn neus gebroken." Of het om een kleinigheid ging, terwijl hij met Heidi heel zachtaardig omging. Als hij maar goede begeleiding kreeg, dan had ze er alle vertrouwen in dat het goed kwam met hem.

Ze dacht aan Simon. Zou Max zich bij hem ook thuisvoelen? Simon was soms een echte heer. Hoe zou het trouwens met Paula zijn? Ze zou hem vanavond bellen, besloot ze.

11

Simon was erg gespannen toen hij in het ziekenhuis arriveerde. Stel dat het toch ernstig was met Paula? Dan zou hij zichzelf nooit vergeven dat hij geaarzeld had met naar haar toe te gaan. Maar hij was gegaan. Hij had het gevoel dat hij met die beslissing nu de keus voor zijn verdere leven had gemaakt. Als Feline en Casper bij elkaar bleven, zou hij haar nog regelmatig zien en daar moest hij tevreden mee zijn.

Hij haastte zich het ziekenhuis in, moest even wachten bij de receptie en werd steeds nerveuzer. Stel dat haar toestand was verergerd? Misschien had die verpleegster wel aan Paula doorgegeven dat hij had gevraagd of het nodig was dat hij direct kwam. Maar Paula zou hem dat niet kwalijk nemen. Paula was tolerant en ze accepteerde hem met al zijn onvolkomenheden.

Dit in tegenstelling tot hemzelf. Hij ergerde zich heel snel aan Paula. Maar toch, stel dat ze er niet bovenop kwam?

Hij werd doorgestuurd naar de eerste hulpafdeling en even later liep hij met snelle stappen door de gangen. Daar was ze echter niet meer. Ze hadden haar al naar een kamer gebracht voor nader onderzoek. Na enkele minuten stond hij stil bij een deur waarop haar naam was aangegeven. Met diep ademhalen probeerde hij zichzelf onder controle te krijgen. Hij wilde daar niet als een over zijn toeren zijnde echtgenoot binnenstormen. Hij opende de deur en zag een voor hem vreemde vrouw in het dichtstbijzijnde bed. Het andere bed was leeg. De angst sloeg hem als een ijskoude vuist om het hart. Hij wist nog van zijn moeder wat het kon betekenen als een bed in het ziekenhuis plotseling leeg was. Hier was alleen ruimte voor de levenden. Zieken weliswaar, maar toch levend. De dood moest hier zo snel mogelijk worden weggehaald. Waarom had men bij de receptie niets gezegd? Hij kon een zacht gekreun niet binnenhouden en de vrouw richtte zich plotseling op.

„Zoekt u iemand?"

„Ja, men zei dat mijn vrouw hier was."

„De vrouw die hier een halfuur geleden nog was, is naar de röntgen," zei de vrouw behulpzaam. „Ze wilden een scan maken van haar hoofd."

„Was het ernstig?" fluisterde Simon.

„U bent nog niet echt ingelicht. Ik geloof dat het wel meevalt. Ze nemen nu eenmaal geen risico. U kunt hier blijven wachten. Of anders even bij de receptie vragen."

Simon besloot tot het laatste. Hij voelde zich niet op zijn gemak bij de jonge vrouw in het laag uitgesneden T-shirt. Even schoot een vraag door hem heen wat hij toch had gewild met een mooie jonge vrouw als Feline. Had hij er echt serieus over gedacht met haar te vrijen, met haar de nacht door te brengen? Zijn fantasie was toch wel heel erg met hem op de loop gegaan.

De receptioniste zei op zijn vraag, dat zij niet op de hoogte was van de toestand van zijn vrouw. Dat dergelijke zaken niet onmiddellijk aan haar werden doorgegeven. Maar ze waagde er toch een telefoontje aan. Toen knikte ze: „Ze is over een kwartier weer terug op haar kamer. U kunt daar wachten of in het restaurant."

Simon ging weer terug naar de verdieping en wachtte daar op een bank in de gang.

Toen twee broeders met het bed kwamen aanrijden
stond hij op en liep hen tegemoet.

„Meneer?" zei een van hen vragend.

„Ik zoek mijn vrouw."

„Simon!" Ze richtte haar hoofd op en glimlachte
naar hem. „Wat fijn dat je er bent."

Ze is echt blij, dacht hij. Gelukkig maar dat hij niet
eerst naar Feline was gegaan. Even later zat hij wat
onwennig bij het bed. Hij greep haar hand en hield die
vast. „Je hebt me flink laten schrikken. Wat is er
gebeurd?"

„Ik had haast en wilde nog snel oversteken toen het
licht al op rood sprong. Je weet hoe het gaat, iedereen
trekt dan razendsnel op. Ik werd geraakt door een auto
en viel. Gelukkig stond de volgende chauffeur gelijk
op zijn rem. Ik kon niet opstaan. Er was iemand die
mij water liet drinken." Ze glimlachte. „Ik denk een
van Jolines gasten. Het flesje was niet erg schoon. Hij
had vriendelijke ogen en ik dacht op dat moment: hij
is een schepsel van God. Gek dat je zo denkt op een
dergelijk moment."

Simon wist dat ze altijd een beetje neerbuigend had
gedaan over Jolines zwervers, zoals ze hen noemde.

„Dat is misschien een winstpuntje bij deze narig-
heid," mompelde hij.

„In elk geval liep het allemaal redelijk goed af. Wat
kneuzingen hier en daar en flink geschrokken natuurlijk. Met mijn hoofd is alles in orde. Mijn voet is flink
beschadigd, ik kan niet goed staan. Maar het komt wel
goed. De zuster zei dat je nog iets anders moest doen

voor je hierheen kon komen. Feline?"

Hij boog het hoofd. „Paula," begon hij, „het was…
ze zit weer in de problemen met die ex van haar. Ik
heb haar gezegd de politie te bellen. Casper is er ook
niet, zo je weet. Daarom belde ze mij." Hij zweeg
abrupt. Hij praatte maar. Paula zat vast niet te wachten
op een verhaal over Feline.

„Het was niets tussen Feline en mij," stuntelde hij.

„Dat weet ik toch," antwoordde Paula rustig. Simon
wist op dat moment dat ze zich nooit echt ongerust
had gemaakt. Waarom niet?

Omdat ze hem door en door kende en wist dat hij
geen rokkenjager was, die gemakkelijk vrouwen ver-
sierde. En ook omdat ze hem vertrouwde.

„Heb je dan nooit gedacht…" begon hij.

„Ik heb veel gedacht. Maar ik heb altijd vertrouwd
op je gezonde verstand." Ze keek naar Simons zorge-
lijke gezicht. „Maar we zijn er pas doorheen als je erom kunt lachen," zei ze ernstig.

Simon zat even zwijgend naast haar. Paula, zijn
vrouw. Nuchter, weinig romantisch, maar tolerant en
rechtdoorzee. Ze had altijd geduld gehad met de tob-
berige dromer die hij was.

Hij had haar hand nog steeds vast. „Wat had ik moeten beginnen als het verkeerd was afgelopen?" fluisterde hij.

Ze keek hem aan. „Ik weet het niet. Feline gaat
waarschijnlijk verder met Casper."

„Feline is natuurlijk geen optie," zei hij flink.

Er kroop een glimlach om Paula's mond. „Ga nu
maar naar haar toe. Ze had je immers nodig. We zijn
tenslotte op de wereld om naar elkaar om te zien. Ik

ben trouwens moe en wil nog even slapen."

Even later zat Simon weer in zijn auto. Haar wagentje was in de garage, daarom was ze waarschijnlijk gaan lopen. Hij besloot nog even langs de garage te gaan. Paula's auto stond naast een wagen die zowel aan het voorraam als aan de achterkant flink schade had opgelopen.

Ook als je in de auto zat, was een ongeluk zo gebeurd. Paula was veel op de weg. Hij stond plotseling te trillen op zijn benen. Hij zag de eigenaar van de garage en stapte gauw weer in zijn auto. Hij had het gevoel dat hij, als hij over Paula vertelde, zich niet meer zou kunnen beheersen. Hij trilde hevig en reed zo voorzichtig mogelijk weg, wat hem geclaxonneer van een andere weggebruiker opleverde. Een mensenleven kon in één klap verwoest zijn. Je stond er niet bij stil voor je zoiets overkwam. Lieve help, Paula, niet romantisch, maar nuchter, met beide benen op de grond. Ze was wel mooi, zijn rots in de branding. En bijna had hij dat achteloos weggegooid door zich halsoverkop in een avontuur te storten. Al moest hij zichzelf eerlijk bekennen dat het avontuur grotendeels in zijn eigen fantasie had bestaan.

Hij parkeerde zijn auto voor de flat waar Feline woonde. Wat zou hij aantreffen? Op zijn bellen deed Feline zelf open, wat hem in elk geval geruststelde.

„Simon, je bent toch gekomen?"

„Je klonk tamelijk alarmerend."

„Het was ook ernstig. Maar kom binnen. Hoe is het nu met je vrouw?"

„Dat lijkt goed te zijn afgelopen." Hij volgde haar naar binnen, maar bleef abrupt staan toen hij de man zag die in de kamer was. „Goedemiddag." Maarten stond op „Niet gedacht dat ik je hier terug zou zien."

„Je was bij mijn schoonzusje," zei Simon. Het klonk haast beschuldigend.

„Dat klopt, ik ben vaak bij Joline. Ik werd gebeld door Feline."

Simon fronste. Hij wist van Felines korte bezoek aan Zwerfrust. Had ze daar deze man leren kennen? Viel ze dan toch op oudere mannen? En Casper dan?

„Hij is mijn vader," zei Feline, die zijn verwarring zag.

„Je vader? Je zei dat die dood was." Het klonk bijna verontwaardigd.

„Ja. Dat dacht ik. Maar nu heb ik hem dus teruggevonden."

„Je hebt haar dus al die jaren alleen laten tobben. En zelfs niets van je laten horen," zei Simon beschuldigend tegen de ander.

„We hebben hier al samen over gepraat, Simon," zei Feline.

Ineens voelde Simon zich terechtgewezen, buitenspel gezet. Ze had hem niet meer nodig. Niet als vriend, en ook niet als vaderfiguur, waar hij toch nog een beetje op gehoopt had. Vader en dochter, wie kwam daartussen? Had hij ooit ook niet op een dergelijke relatie gehoopt met zijn eigen dochter, Emma, die hij nooit echt had leren kennen? Hij maakte aanstalten om te vertrekken toen Feline zei: „Wil je niet horen wat er gebeurd is?"

Simon luisterde zwijgend. Hij zag de andere man ontspannen achterover leunen op de bank. Hij voelde zich hier blijkbaar volkomen op zijn gemak.

„En waar is Max nu?" vroeg hij tenslotte.

„Hij speelt met Heidi op haar kamer. Wil je hem meenemen?"

„Goed. Ik heb toch geen afspraken. Ik neem hem wel mee en zet hem thuis af."

„Wil jij hem ook nog eens zeggen dat je mensen niet zo mag toetakelen?"

„Ik weet niet of ik daar wel de aangewezen persoon voor ben," zei Simon onwillig.

„Natuurlijk wel. Hij mag je."

Nou, dat is dan een van de weinigen, dacht Simon, voelde zich ineens weer heel erg kinderachtig.

Wat later bracht Feline hem naar de deur. „Blijft je vader eten?" kon hij niet nalaten te vragen.

Ze glimlachte en knikte. „Ja, maar hij heeft al meegegeten. Wat een rijkdom ineens, Simon. Eerst had ik alleen Heidi. En nu heb ik ineens een vader, een goede vriend, en Casper niet te vergeten: jouw fantastische zoon. En ook nog een vriendje, Max, dat voor me wil vechten."

Met een glimlach om zijn mond startte Simon even later de auto. Dit meisje wist altijd precies het juiste te zeggen.

Het was een aantal weken later en de zomer begon op zijn eind te lopen. Het was echter nog heerlijk buiten en Simon en Paula zaten in de tuin, zoals ze vaak deden na de zondagse kerkdienst. Simon genoot van de rust. En wat is daar mis mee, dacht Simon. Hij had het laatste jaar wel genoeg toestanden meegemaakt. Zijn leven was bijzonder onrustig geweest. Hij had het idee gehad dat er iets moest veranderen. Dat zijn leven spannender kon zijn. En een tijdje was dat ook zo geweest. Maar het had niet allemaal positief uitgepakt. Hij keek naar Paula die verdiept was in een boek. Ze was weer helemaal in orde na het ongeluk.

Wat gebleven was was zijn onrust als ze met de auto weg was. Hij wist nu dat hij haar niet kon missen.

Natuurlijk, de vonken spatten er niet meer vanaf. Hij had zich erbij neergelegd dat hij weinig meer kon verwachten dan de relatie die ze nu hadden. Ze konden het prima vinden samen. Dat hij in het begin van dit jaar van de rechte weg was afgeweken, had ze hem grootmoedig vergeven. Hij was nog altijd dankbaar dat het bij deze korte dwaling was gebleven. Dat de ontrouw alleen in zijn hoofd had bestaan. Hij had er in elk geval een jong vriendje aan overgehouden. Hij trok veel met Max op en de jongen bleef regelmatig bij hen eten. Hij wist dat het kind hem veel energie zou gaan kosten. Hij was nog maar in het begin van de puberteit. Er kon nog van alles gebeuren. Max was niet plotseling een braaf jongetje geworden.

Toen Simon een auto hoorde stoppen, sleepte hij wat stoelen dichterbij. Casper en Feline zouden komen. Ze hadden iets te vertellen, had Casper gisteren door de telefoon gezegd. Mogelijk gingen ze trouwen.

Dan kregen ze er een dochter bij, had Paula gezegd. Ze mocht Feline heel graag. Hijzelf gedroeg zich wat afstandelijk. Hij had er moeite mee zijn houding te bepalen. Gelukkig zorgde Heidi altijd voor een ontspannen sfeer.

Toen ze eenmaal aan de koffie zaten zei Casper: „Wij hebben jullie iets te zeggen. We gaan voor enkele jaren weg uit Nederland. Ik heb heel wat meer mogelijkheden in Frankrijk. En Heidi is nog jong genoeg om zich aan te passen."

Simon wist even niets te zeggen. Dit had hij zeker niet verwacht. Ook Paula leek even moeite te hebben om woorden te vinden.

„Dat vind ik niet zo leuk," zei ze eindelijk. „Ik was juist zo blij dat jullie in de buurt woonden."

„Frankrijk is niet het eind van de wereld. Jullie zijn nog jong genoeg om ons regelmatig op te zoeken," zei Casper luchtig.

Nu was hij ineens jong. Toen ik met Feline omging werd ik door mijn zoon een ouwe vent genoemd, dacht Simon bitter.

„Dat zal jouw vader ook niet prettig vinden," zei hij tegen Feline.

„Mijn vader is niet alleen. Hij heeft Joline. Daarbij, hij kan ons ook opzoeken. Ik vind het ook een prettige gedachte dat Benno mij dan niet meer kan lastigvallen. Het is op dit moment wel over, maar je weet nooit."

„Je laat hier toch heel wat achter," zei Simon.

„We moeten er niet dramatisch over doen," antwoordde Casper kalm. „We komen waarschijnlijk ook weer terug. Als ik wat meer naam heb gemaakt. En ik blijf in contact met de bladen waarvoor ik nu werk. Feline kan misschien ook wel werk vinden."

Ze praatten er nog wat over door en Simon deed zijn best om belangstelling te tonen. Hij wist dat Paula dit ook moeilijk vond. Had ze kort geleden niet gezegd: „Ik heb er toch een beetje een dochter bij." Natuurlijk had ze daarbij ook gedacht aan de dochter die ze verloren hadden.

Een tijdje geleden had hij dat ook zo gezien. Maar nu Feline weer contact had met haar vader, voelde hij zich snel te veel. „Ik hoop dat jullie er positief tegenover staan," zei Casper toen ze op het punt stonden te vertrekken.

„Het is jullie leven," zei Simon.

„Jullie horen er ook bij. Jullie zijn toch onze ouders."

Simon keek Feline aan en hij zag aan haar blik dat ze begreep dat hij het moeilijk had. Gelukkig had ze nooit echt geweten wat hij voor haar voelde. Dat hoopte hij althans.

Toen ze waren vertrokken liep hij wat verder de tuin in. Hij probeerde zijn emoties onder controle te krijgen. Hij had als een puber gedroomd en nu was die droom uiteengespat. En wat bleef er nog over?

Op dat moment voelde hij Paula's hand in de zijne. „We zullen het met zijn tweeën moeten doen, Siem. Dat is ons al dertig jaar gelukt. Wij samen."

Hij keek haar aan en zag het medeleven in haar ogen. Paula had hem nauwelijks iets verweten. Ze had hem nooit uitgelachen. En nu voelde ze met hem mee. Ze was dan misschien niet romantisch, maar dit was wel liefde.

„Onze jeugd is voorbij. Maar als het ons is gegeven, komt er nog een lange tijd samen."

Hij drukte haar hand en glimlachte. In die glimlach lag een tikje weemoed, maar ook een beetje zelfspot. Ineens wist hij zeker: over niet al te lange tijd zou hij om zichzelf kunnen lachen.

„We zijn bijna dertig jaar getrouwd. Laten we het vieren," zei hij plotseling.

Hij zag haar ogen oplichten. „Ja. Laten we dat doen.

In de bijbel staat: Viert uw vierdagen. Ik vind dat we echt wel iets te vieren hebben. Het had allemaal heel anders kunnen lopen."

En dat was het enige wat Paula ooit nog zei over de onrust van de afgelopen maanden.

Ik was de weg behoorlijk kwijt, dacht Simon. Maar mede dankzij Paula heb ik die periode nu achter mij gelaten. Ja, laten we die dag vieren.